Het geduld van Maigret

zwarte beertjes detective

944

Van dezelfde auteur:

Georges Simenon

Het geduld van Maigret

BRUNA POCKETHUIS B.V., LEEUWARDEN

Oorspronkelijke titel: **La patience de Maigret**
© 1966 **Georges Simenon**
Vertaling: **K. H. Romijn**
© 1968 **A. W. Bruna & Zoon**
Omslagontwerp: **Dick Bruna**
Druk: **Van Boekhoven-Bosch bv, Utrecht**
ISBN 90 449 0944 4
1981

1

De dag was begonnen als een jeugdherinnering, stralend en met iets feestelijks. Maigrets ogen lachten terwijl hij zat te ontbijten, zonder bepaalde reden, omdat het leven goed was, en niet minder vrolijkheid was er in de ogen van mevrouw Maigret, die tegenover hem zat.

Door de wijd openstaande ramen drongen de geuren van buiten het vertrek binnen, de vertrouwde geluiden van de Boulevard Richard-Lenoir, en de lucht, die al warm was, trilde; er hing een heel ijle nevel, die de stralen van de zon temperde, ze bijna tastbaar maakte.

– Ben je niet moe?

Hij antwoordde verwonderd, terwijl hij van zijn koffie nipte, die hem lekkerder leek dan andere dagen:

– Waarom zou ik moe zijn?

– Van al dat werken in de tuin, gisteren... Je had in maanden geen spa of een hark in je handen gehad...

Het was maandag. Maandag 7 juli. Zaterdagavond waren ze, met de trein, naar Meung-sur-Loire gegaan, naar het kleine huis dat ze al een paar jaar aan het inrichten waren voor de dag waarop Maigret door de reglementen gedwongen zou worden met pensioen te gaan.

Over twee jaar en enkele maanden! Op zijn vijfenvijftigste jaar! Alsof een man van vijfenvijftig jaar, die praktisch nooit ziek geweest is en nog in de volle kracht van zijn leven is, van de ene dag op de andere ongeschikt zou worden om aan het hoofd van een afdeling van de Centrale Recherche te staan!

Wat Maigret zich het moeilijkst kon indenken, was dat hij drieënvijftig jaar geleefd had.

– Gisteren heb ik niet veel anders gedaan dan slapen, verbeterde hij.

– In de volle zon!

– Met een zakdoek over mijn gezicht...

Het was een heerlijke zondag geweest. Een ragoût, die in de lage keuken met zijn blauwgrijze tegels stond te sudderen, de geur van het sintjanskruid die men door het hele huis rook, mevrouw Maigret die van het ene vertrek naar het andere liep, met een doek om haar hoofd voor het stof, Maigret in hemdsmouwen, met open boord en een strohoed op, die onkruid wiedde in de tuin, spitte, schoffelde, harkte, om tenslotte na de lunch met een lekkere witte land-

6

wijn, in te dutten in een rood en geel gestreepte lig-
stoel, waar de zon hem al spoedig in zijn gezicht ge-
schenen had, zonder hem echter in zijn sluimer te
storen...

Toen ze in de trein terug naar Parijs zaten, voelden
ze zich allebei loom, slaperig, met prikkende oogle-
den en ze namen een geur met zich mee die Maigret
deed denken aan zijn jeugd op het platteland, een
mengeling van hooi, uitgedroogde aarde en zweet:
de geur van de zomer.

– Nog wat koffie?

– Graag.

Zelfs het schort met kleine blauwe ruitjes van zijn
vrouw gaf hem een blij gevoel, door zijn frisheid,
door een soort kinderlijkheid, evenals de schittering
van de zon in een der ruitjes van het buffet.

– Het wordt warm vandaag!

– Reken maar!

Hij zou zijn ramen, die op de Seine uitzagen, open
zetten en zijn colbertje uittrekken.

– Wat zou je zeggen van een kreeft met mayonnaise,
voor vanmiddag?

Het was ook prettig op straat te lopen, waar de zon-
neschermen van de winkels rechthoeken van schaduw op de trottoirs wierpen, prettig op de bus te staan
wachten, naast een jong meisje in een lichte jurk,
op de hoek van de Boulevard Voltaire.

Het geluk was met hem. De bus die langs het trottoir stopte was een oude bus met een achterbalkon,
zodat hij zijn pijp kon blijven roken, terwijl hij de
huizen en de voetgangers langs zich zag glijden.

Waarom deed hem dat denken aan een optocht, met bonte kleuren, waarvoor heel Parijs uitgelopen was, vroeger, toen hij nog maar pas getrouwd was en hij nog slechts een verlegen jonge man was, secretaris van de commissaris van het wijkbureau Saint-Lazaire? Er was een of andere buitenlandse vorst gearriveerd, die in een open rijtuig zat met twee voorrijders, en omringd was door personen in prachtige uniformen, terwijl de helmen van de Parijse gendarmerie schitterden in het zonlicht.

Parijs had dezelfde geur als vandaag, hetzelfde licht, dezelfde loomheid.

Toen dacht hij nog niet aan zijn pensionering. Het eind van zijn carrière, het eind van het leven leken hem eindeloos ver, zo ver, dat hij er zich niet om bekommerde. En nu was hij bezig het huis voor zijn oude dag in te richten!

Geen melancholie. Een milde glimlach, dat was alles. De Place du Châtelet. De Seine. Een hengelaar – er stond er altijd wel minstens één – bij de Pont au Change. Dan, op de binnenplaats van het Paleis van Justitie, druk gesticulerende advocaten in hun zwarte toga's.

De Quai des Orfèvres, tenslotte, waarvan hij iedere straatsteen kende en vanwaar hij bijna verbannen geweest was.

Nog geen tien dagen geleden had de prefect, een nog-al heetgebakerd heerschap, die niets moest hebben van de politiemannen van de oude school, van hem geëist dat hij ontslag zou nemen, of liever – want hij had zich wat eleganter uitgedrukt – vervroegd

pensioen aanvragen, onder het voorwendsel van on-
voorzichtigheden die de commissaris begaan zou hebben.

Alles, of nagenoeg alles in het dossier, waarin de prefect met achteloos gebaar bladerde, was onwaar en
het had Maigret drie dagen en drie nachten gekost
om dat te bewijzen, waarbij het hem zelfs verboden
geweest was zijn mensen in te zetten.

Het was hem echter gelukt, en dat niet alleen, maar
hij had ook de man, die de intrige tegen hem op touw
gezet had, tot bekentenis weten te brengen, een tandarts in de Rue des Acacias, die verscheidene misdrijven op zijn geweten had.*

Maar dat was alweer verleden tijd. Hij liep, na de
beide mannen die op wacht stonden gegroet te hebben, de brede trap op, ging zijn kamer binnen, waar
hij het raam openzette, zijn hoed afzette, zijn colbertje uittrok, en naar het raam terugkeerde. Hij
staarde naar de Seine, terwijl hij langzaam een pijp
stopte.

Hoewel iedere dag weer ander werk bracht, waren
er bepaalde dingen die hij steevast iedere dag deed
zonder erbij te denken. Zo liep hij, zodra hij zijn pijp
aangestoken had, naar de deur van de inspecteurskamer en opende die.

Verscheidene stoelen voor de schrijfmachines en de
telefoons waren leeg, want de vakanties waren begonnen.

– Morgen, kinderen... Kom je even, Janvier?

Janvier was belast met het onderzoek naar de dief-

* Zie *Maigret in de verdediging*. Zwarte Beertje nr. 845.

stallen uit de juwelierswinkels, of juister, uit de etalages van de juwelierswinkels. De laatste had jongstleden donderdag plaatsgevonden, op de Boulevard du Montparnasse, volgens methoden die sedert meer dan twee jaar doeltreffend gebleken waren.

– Nog iets nieuws?

– Praktisch niets. Jonge kerels weer: twintig tot vijfentwintig jaar volgens de getuigen. Ze waren met zijn tweeën, zoals gewoonlijk. De een sloeg de ruit stuk met een bandafnemer. De ander, die een zak van zwarte stof in zijn hand had, griste de sieraden weg, waarbij zijn kameraad hem kwam helpen. De hele operatie was zorgvuldig getimed. Er reden twee rijen auto's naast elkaar en aan de kant van het trottoir stopte een crème DS, net lang genoeg om de twee mannen in de wagen te laten springen, en verdween toen in het verkeer.

– Sjaals over hun gezicht?

Janvier knikte bevestigend.

– En de chauffeur?

– Daar zijn de getuigen het niet allemaal over eens, maar het schijnt oók een jonge man geweest te zijn, met heel donker haar en een bruine gelaatskleur. Eén nieuwe aanwijzing, maar het is de vraag of we daar iets aan hebben: een groentevrouw heeft even vóór de roof een tamelijk kleine, zware vent met een boksersgezicht gezien, die een paar meter voorbij de juwelierswinkel stond. Hij scheen op iemand te wachten, want hij keek voortdurend naar boven, naar de grote klok boven de etalage en dan weer op zijn polshorloge. Volgens de vrouw hield hij zijn hand

onafgebroken in zijn rechterzak. Toen de roof plaats-
vond, verroerde hij geen vin en zodra de crème wagen wegreed, stapte hij in een taxi.

– Heb je de foto's van de verdachten aan die groentevrouw laten zien?

– Ze heeft drie uur bij mij op het archief gezeten.
Maar per slot heeft ze niemand positief herkend.

– Wat zegt de juwelier?

– Die kan zich de weinige haren die hij nog heeft,
wel uit zijn hoofd trekken. Als ze drie dagen eerder
gekomen waren, zou het niet zo erg geweest zijn, zei
hij, want in de regel heeft hij geen sieraden van
waarde in de etalage. Maar de vorige week kreeg
hij de kans een stel smaragden te kopen en zaterdagmorgen heeft hij die, na enige aarzeling, in de etalage gelegd.

Maigret wist op dat moment nog niet, dat wat die
morgen op zijn kamer begon, het eind was van een
zaak, die voortaan op de Quai des Orfèvres 'het langste onderzoek van Maigret' genoemd zou worden.

Zo waren er enkele feiten die, op den duur, aanlei-
ding gaven tot legendevorming. Er werd, bijvoorbeeld, nog wel eens gesproken, en het werd aan alle
nieuwelingen verteld, over 'het langste verhoor van
Maigret', een verhoor dat zevenentwintig uur geduurd had, waarbij de kelner uit *Café Dauphine*
bijna onafgebroken in de weer was geweest om flesjes bier en sandwiches te brengen.

Maigret was niet de enige geweest, die zijn vragen
op de verdachte afgevuurd had. Lucas en Janvier
losten hem af; ze begonnen iedere keer weer van

voren af aan met hun verhoor, dat ogenschijnlijk alleen maar vervelend was, maar niettemin met een volledige bekentenis geëindigd was.

Ook wist iedereen op de Quai te vertellen van 'de gevaarlijkste arrestatie van Maigret', de arrestatie, op klaarlichte dag, midden tussen de menigte, van de Poolse bende. Dat was in de Rue du Faubourg-Saint-Antoine gebeurd, zonder dat er één schot gelost was, hoewel de mannen tot de tanden gewapend waren en vastbesloten hun huid duur te verkopen.

Men zou, met recht, kunnen zeggen dat de juwelenaffaire voor de commissaris al een jaar of twintig geleden begonnen was, toen hij zich was gaan interesseren voor een zekere Manuel Palmari, een zware jongen, die uit Corsica naar Parijs gekomen was en daar onder aan de ladder, als souteneur, begonnen was.

Het was de tijd dat een nieuwe generatie opkwam. De oude kopstukken uit de onderwereld, die voor de oorlog eigenaar van bordelen waren geweest, clandestiene speelhuizen hadden gedreven en onder wier auspiciën opzienbarende inbraken gepleegd werden, waren op hun lauweren gaan rusten aan de oevers van de Marne, of in het Zuiden, de minst voorspoedigen of de minst gewieksten in de strafgevangenis te Fontevrault.

Piepjonge knapen, die zich verbeeldden iedere weerstand te kunnen breken, kwamen hun plaats innemen. Zij waren driester, roekelozer dan de ouden en wisten de politie, die op zoveel vermetelheid niet verdacht was, maandenlang de baas te blijven.

Het was het begin van de overvallen op wissellopers en de juwelendiefstallen, op klaarlichte dag, te midden van de menigte.

Tenslotte wist men de hand te leggen op enkele van de schuldigen. De overvallen werden voor een bepaalde tijd gestaakt, begonnen dan weer, werden opnieuw vrijwel stopgezet, om twee jaar later brutaler dan ooit hervat te worden.

– De kwajongens die wij arresteren, zijn alleen maar uitvoerders van wat anderen hun opdragen, had Maigret direct al bij het begin van die overvallen gezegd.

Niet alleen werden er iedere keer weer nieuwe gezichten gesignaleerd, maar degenen die gearresteerd werden, hadden meestal een blanco strafregister. Ze waren ook geen Parijzenaars, maar schenen steeds uit de provincie gekomen te zijn, vooral uit Marseille, Toulon en Nice, voor één bepaalde operatie.

Slechts een of tweemaal hadden ze zich gewaagd aan de grote juwelierszaken op de Place Vendôme en in de Rue de la Paix, want de alarmsystemen van die zaken verminderden hun aantrekkingskracht op de bandieten.

Ze waren al spoedig van taktiek veranderd. Ze zochten nu minder belangrijke juwelierswinkels op, en niet meer in het centrum van Parijs, maar in de buitenwijken en zelfs in de voorsteden.

– En, Manuel?

Tien, honderdmaal was Maigret zo bij Palmari gekomen, eerst in *Le Clou Doré*, de bar die hij overgenomen had in de Rue Fontaine en die hij omgezet had in een luxueus restaurant, later in het appartement in de Rue des Acacias, dat hij samen met Aline bewoonde.

Maar Manuel liet zich nooit van zijn stuk brengen en als men hen zo zag praten samen, zou men hen voor twee oude vrienden houden.

– Gaat u zitten, commissaris. Wat wilt u nu weer van mij?

Manuel liep tegen de zestig nu en sedert hij door een aantal kogels uit een stengun getroffen was, op een nacht terwijl hij bezig was het rolluik van *Le Clou Doré* te laten zakken, kwam hij niet meer uit zijn invalidenwagentje.

– Ken jij ook een jonge knaap, een kwade rakker, die Mariani heet en die op jouw eiland geboren is?

Maigret stopte zijn pijp, want er was altijd veel geduld voor nodig om iets uit Manuel te krijgen. Hij was tenslotte helemaal thuis geraakt in het appartement in de Rue des Acacias, dat hij kende als zijn eigen huis, vooral het kleine hoekkamertje, vol met goedkope romannetjes en grammofoonplaten, waar Manuel zijn dagen doorbracht.

– Wat heeft hij uitgehaald, die Mariani? En waarom komt u juist mij daar weer over lastig vallen?

– Ik ben toch altijd heel geschikt voor je geweest, is het niet?

– Dat is zo.

– Ik heb je van tijd tot tijd ook wel eens kleine diensten bewezen...

Dat was ook waar. Zonder Maigret's tussenkomst zou Manuel heel vaak moeilijkheden gehad hebben.

– Als je wilt dat dat zo blijft, vertel me dan eens...
Dan gebeurde het wel dat Manuel iets vertelde, dat
wil zeggen dat hij een handlanger, altijd een onder-
geschikte figuur, noemde.
– Begrijpt u goed, het is maar een veronderstelling.
Ikzelf, ik heb me nooit in mijn vingers gesneden en
mijn strafregister is blanco. Ik ken die Mariani niet
persoonlijk. Ik heb alleen horen vertellen...
– Door wie?
– Dat weet ik niet meer. Maar dat hoor je dan zo...
Sedert de aanslag waarbij hij een been verloren had,
ontving Palmari echter praktisch niemand. Zijn telefoon, dat wist hij, werd afgeluisterd en hij zorgde
er dan ook wel voor uitsluitend onschuldige gesprekken te voeren.
Bovendien waren er, sedert enkele maanden, sedert
de juwelendiefstallen weer toegenomen waren, permanent twee inspecteurs in de Rue des Acacias ge-
posteerd.
Twee, omdat één Aline moest volgen wanneer zij de
deur uitging, terwijl de ander dan het huis in het
oog kon blijven houden.
– Goed... Om u een plezier te doen... Vlak bij Lagny
is een klein hotelletje, dat gedreven wordt door een
halfdove, oude man en zijn dochter... De naam ben
ik vergeten... Ik meen te weten dat Mariani stapel
op die dochter is en dat hij daar vaak logeert...
De laatste twintig jaar was het zo, dat iedere keer
wanneer Manuel tekenen van toegenomen welstand
vertoonde, er zojuist een aantal juwelendiefstallen
vlak achter elkaar plaatsgevonden hadden.

– Is de wagen teruggevonden? vroeg Maigret aan Janvier.

– Ja. In een straatje bij de Hallen.

– Vingerafdrukken?

– Niet één. Moers heeft hem om zo te zeggen helemaal met de microscoop bekeken.

Het was tijd om naar de kamer van de directeur te gaan, waar de hoofden van de verschillende takken van dienst iedere morgen op dat uur samenkwamen. Elk bracht dan, in het kort, verslag uit van de zaken die in onderzoek waren.

– En u, mijnheer Maigret? Hoe ver bent u met die juwelendiefstallen?

– Weet u, mijnheer, hoeveel juwelierszaken er zijn in Parijs, de buitenwijken niet meegerekend? Iets meer dan drieduizend. Sommige daarvan leggen alleen goedkope sieraden en horloges in de etalage, maar er zijn er een goede duizend die voldoende achter hun ramen hebben liggen om een georganiseerde bende aan te lokken.

– En wat wou u daaruit afleiden?

– Neem nu die juwelierszaak op de Boulevard du Montparnasse. Maandenlang waren daar alleen maar dingen van weinig waarde uitgestald. Verleden week heeft die juwelier toevallig een paar heel kostbare smaragden op de kop kunnen tikken. Zaterdagmorgen kwam hij op het idee ze in het raam te leggen. Donderdag vloog de ruit in stukken en werden de juwelen gestolen.

– Dus u veronderstelt...

– Ik ben er vrijwel zeker van dat er een man van

16

het vak is die alle etalages van juweliers afloopt, en dan steeds in een andere wijk. Zodra er ergens kostbare stukken liggen, op een punt dat gunstig lijkt, wordt er iemand gewaarschuwd. Dan laten ze jonge kerels komen, uit Marseille of elders, die de techniek geleerd hebben en die nog niet met de politie in aanraking zijn geweest. Twee of driemaal heb ik een val uitgezet en juweliers gevraagd zeldzame stenen in de etalage te leggen.

– En daar is de bende niet ingelopen?

Maigret schudde het hoofd, terwijl hij zijn pijp, die uitgegaan was, weer aanstak.

– Maar ik ben geduldig, bromde hij, zonder er zich over uit te laten wat hij verder dacht te doen.

De directeur, die minder geduldig was dan hij, verheelde zijn misnoegen niet.

– En dat duurt nu al... begon hij.

– Twintig jaar, mijnheer.

Enige minuten later was Maigret weer terug in zijn kamer, blij dat hij zijn kalmte en zijn goede humeur bewaard had. Hij liep nogmaals naar de kamer van de inspecteurs, want hij had er een hekel aan hen door de huistelefoon bij zich te roepen.

– Janvier!

– Ik zat al op u te wachten, chef. Ik heb zojuist een telefoontje gekregen...

Hij ging Maigrets kamer binnen, deed de deur achter zich dicht.

– Er is iets gebeurd vanmorgen... Manuel Palmari...

– Je wilt me toch niet vertellen dat hij verdwenen is?

17

– Hij is vermoord. Doodgeschoten in zijn rolstoel.
De commissaris van het XVIIde arrondissement is
ter plaatse en hij heeft het Parket al gewaarschuwd.
– En Aline?
– Het schijnt dat zij het geweest is die de politie op-
gebeld heeft.
– Vooruit!
Toen hij al bij de deur was, liep hij nog even terug
om een andere pijp van zijn bureau te halen.

Terwijl de kleine zwarte auto met Janvier achter
het stuur de Champs-Elysées opreed, die in een stralende zon lagen te baden, had Maigret nog steeds
de lichte glimlach om zijn lippen en de twinkeling
in zijn ogen, die daar gekomen waren toen hij die
morgen opgestaan was en die hij ook om de lippen
en in de ogen van zijn vrouw gezien had.
Toch was er, diep in zijn binnenste, zoal geen verdriet dan toch een zekere droefgeestigheid. Manuel
Palmari was niet een van die figuren wier overlijden de maatschappij in rouw dompelt. Behalve misschien, want dat was niet zeker, Aline, die sedert enkele jaren met hem leefde en die hij van de straat
opgeraapt had, behalve enkele boeven nog, die alles
aan hem te danken hadden, zou men bij wijze van
lijkrede niet veel meer zeggen dan een achteloos:
– Dat was te verwachten...
Manuel had Maigret eens verteld, dat hij ook koor-
knaap geweest was in zijn geboortedorp, een dorp,
had hij eraan toegevoegd, dat zo arm was dat de jon-
geren, zodra ze vijftien waren, wegtrokken om niet

18

hun hele leven tot armoede gedoemd te zijn. Hij had langs de kaden van Toulon gezworven, waar men hem later als barkeeper teruggezien had en waar hij al spoedig begrepen had dat vrouwen een kapitaal vormen, dat veel kan opbrengen.

Had hij een of meer misdrijven op zijn geweten? Sommigen gaven dat te verstaan maar het was nooit bewezen en op een goede dag was Palmari eigenaar geworden van *Le Clou Doré*.

Hij beschouwde zichzelf als een loze vos en het was een feit dat hij tot zijn zestigste jaar altijd zo handig had weten te manoeuvreren, dat hij zich nooit één veroordeling op de hals gehaald had.

Aan de wraakoefening met een stengun was hij weliswaar niet ontkomen, maar zijn liefde voor het leven, in zijn rolstoel, tussen zijn boeken en zijn grammofoonplaten, bij zijn radio- en zijn televisietoestel, had hij behouden en Maigret verdacht hem ervan, dat hij nog meer hield, met meer hartstocht, meer tederheid ook, van zijn Aline, die hem 'papa' noemde.

– Je doet er verkeerd aan, papa, met die commissaris steeds te ontvangen. Ik ken ze, die kerels van de politie, ze hebben me genoeg genegerd! Deze is geen cent béter dan de anderen. Je moet je niet zo laten uithoren, je zult zien dat hij het later nog eens allemaal tegen jou gebruiken zal.

Het gebeurde wel dat ze op de grond spuwde, voor Maigrets voeten, waarop ze zich dan met grote waardigheid omdraaide en heupwiegend wegliep.

Nog geen tien dagen geleden was Maigret in de Rue des Acacias geweest en nu ging hij daar opnieuw heen, naar hetzelfde huis, hetzelfde appartement, waar hij, voor het open raam staande, plotseling een ingeving gekregen had waardoor hij de misdrijven van de tandarts aan de overkant had kunnen reconstrueren.

Er stonden twee auto's voor het huis. Voor de deur een agent die, toen hij Maigret herkende, salueerde.

– Vierde etage links, zei hij zacht.

– Ik weet het.

De commissaris van het wijkbureau, een zekere Clerdent, stond in de salon te praten met een klein, dik mannetje, met verward, heel licht haar, een rose huid als van een baby, en heldere, blauwe ogen die onschuldig en oprecht de wereld in keken.

– Dag, Maigret.

En toen hij zag, dat deze aarzelde de hand uit te steken naar zijn metgezel, voegde hij eraan toe:

– Kent u elkaar niet?... Commissaris Maigret... Mr. Ancelin, de rechter-commissaris...

– Prettig kennis met u te maken, commissaris...

– Het genoegen is helemaal aan mijn kant, mijnheer. Ik heb al veel over u gehoord, maar ik heb nog niet de eer gehad, met u samen te werken.

– Ik ben nog niet lang in Parijs, nog geen vijf maanden. Daarvóor was ik in Lille, waar ik jaren geweest ben.

Hij had een hoge stem en ondanks zijn corpulentie zag hij er veel jonger uit dan hij in werkelijkheid was. Men had hem voor een van die studenten kunnen houden, die er tegen opzien het *Quartier Latin* en het onbezorgde leventje daar vaarwel te zeggen en daarom geen haast met de studie maken. Onbe-zorgd, natuurlijk, voor degenen die ergens een wel-gestelde vader hebben.

Hij zag er slordig uit, zijn colbertje was te nauw, zijn broek te wijd, met uitgezakte knieën, en zijn schoenen hadden in lange tijd geen borstel gezien.

Op het Paleis van Justitie vertelde men dat hij zes kinderen had, dat hij thuis niets had in te brengen, dat zijn oude wagen elk ogenblik in elkaar dreigde te zakken en dat hij, om de eindjes aan elkaar te kunnen knopen, in een goedkope flat te Antony woonde.

– Onmiddellijk nadat ik de Centrale Recherche ge-beld heb, heb ik het Parket gewaarschuwd, vertel-de Clerdent.

– Is de substituut er al?

– Die komt direct.

– Waar is Aline?

– De vrouw, met wie het slachtoffer leefde? Die ligt plat op haar buik op bed te huilen. De werkster is bij haar.

– Wat zegt ze?

– Ik heb niet veel uit haar kunnen krijgen en in de toestand waarin ze was, heb ik niet aangehouden. Volgens haar zeggen is ze om half acht opgestaan. De werkster komt pas om tien uur. Om acht uur heeft Aline Palmari zijn ontbijt op bed gebracht en daar-na heeft ze hem gewassen en aangekleed.

Maigret wist wel hoe dat ging iedere morgen. Sedert Manuel door de aanslag van drie jaar geleden inva-lide geworden was, durfde hij niet meer in een badkuip te stappen. Hij ging onder de douche staan, op één been, en dan zeepte Aline hem in, hielp hem vervolgens zijn ondergoed en zijn kleren aantrekken.

– Hoe laat is ze uitgegaan?

– Hoe weet u dat ze uitgegaan is?

Maigret zou daaromtrent zekerheid krijgen wanneer hij zijn beide mensen die in de straat op wacht stonden, daar naar zou vragen. Ze hadden hem niet opgebeld. Ze zouden wel verbaasd geweest zijn, toen ze de wijkcommissaris, daarna de rechter-commissaris en tenslotte Maigret zelf hadden zien arriveren, want ze wisten niet wat zich in het huis afgespeeld had. Het geval was niet zonder ironie.

– Neemt u mij niet kwalijk, heren.

Een lange jonge man, met een gezicht dat aan een paardekop deed denken, kwam als een wervelwind de kamer binnen, drukte handen, vroeg:

– Waar is het lijk?

– In de kamer hiernaast.

– Is er al een spoor gevonden?

– Ik was juist bezig commissaris Maigret te vertellen wat ik weet. Aline, de jonge vrouw met wie Palmari leefde, beweert dat ze omstreeks negen uur de deur uitgegaan is, zonder hoed en met een boodschappennet.

Een der inspecteurs die op wacht stonden, was haar stellig gevolgd.

– Ze heeft verschillende boodschappen in de buurt gedaan. Ik heb haar verklaring nog niet op schrift gesteld, want ik kon alleen maar onsamenhangende losse woorden uit haar krijgen.

– En is die Palmari, terwijl ze uit was...

– Dat beweert ze natuurlijk. Ze zou om vijf voor tien weer thuisgekomen zijn.

Maigret keek op zijn horloge, dat tien over elf aanwees.

– Ze vond Palmari, naar ze zegt, in de kamer hiernaast op de grond liggen. Hij was uit zijn invalidenwagentje gevallen. Hij was dood, en had heel veel bloed verloren, zoals u aanstonds zelf zult kunnen zien.

– Hoe laat heeft ze u opgebeld? Want zij heeft toch zelf het bureau opgebeld, naar ik gehoord heb?

– Ja. Dat was kwart over tien.

Mr. Druet, de substituut, stelde de vragen, terwijl de dikke rechter alleen maar toeluisterde met een vage glimlach om de lippen. Hij scheen, ondanks de zorg om al die monden thuis open te houden, ook te genieten van het leven. Van tijd tot tijd wierp hij een steelse blik naar Maigret, als om aansluiting bij hem te zoeken.

De beide anderen, de substituut en de commissaris van politie, spraken met elkaar en gedroegen zich als nauwgezette ambtenaren.

– Heeft de dokter het lijk al onderzocht?

– Hij is hier maar even geweest. Hij beweert dat het onmogelijk is vóór de sectie al te zeggen door hoeveel kogels Palmari getroffen is en ook, zonder hem uit te kleden, iets op te maken uit de schotwonden. Maar het schijnt toch wel zeker, dat de kogel die door de nek gegaan is, hem van achter getroffen heeft.

Dus, dacht Maigret, Palmari had niets kwaads vermoed.

– Als we eens even gingen kijken, heren, voor de mensen van de Identificatiedienst komen?

In Manuels kamertje was niets veranderd en de zon scheen volop naar binnen. Op de grond een ineengekromd lichaam, grotesk bijna, mooie witte haren, ter hoogte van de nek bezoedeld met bloed.

Maigret was verrast Aline Bauche daar te zien staan, tegen het gordijn van een der vensters. Ze droeg een jurk van lichtblauw linnen, waarin hij haar wel meer gezien had, en haar gezicht, dat omlijst werd door ravenzwart haar, was doodsbleek, met rode vlekken, alsof ze geslagen was.

Ze keek de drie mannen zo vijandig of zo uitdagend aan, of ze zich elk ogenblik op hen kon storten om hun de ogen uit het hoofd te krabben.

– Zo mijnheer Maigret, heeft u nu uw zin?

Dan, zich tot de anderen wendend:

– Kunt u mij niet met hem alleen laten? Bij andere vrouwen die haar man verloren hebben, komt u toch ook niet met een hele troep? Of komt u mij soms arresteren?

– Kent u haar? vroeg de rechter-commissaris aan Maigrets oor.

– Heel goed, ja.

– Gelooft u, dat zij...

– U zult al wel gehoord hebben, dat ik nooit iets geloof, mijnheer. Ik hoor de mensen van de Identificatiedienst met hun apparatuur de trap opkomen. Vindt u goed, dat ik Aline onder vier ogen ondervraag?

– Wou u haar meenemen?

– Neen. Het lijkt mij beter dat ik dat hier doe. Ik zal u daarna wel verslag uitbrengen van wat ze gezegd heeft.

– Als het lijk weggehaald is, moet deze kamer dan niet verzegeld worden?

– Dat wilde ik maar aan commissaris Clerdent overlaten, als u daarmee accoord gaat.

De rechter sloeg Maigret nog steeds gade met iets olijks in zijn blik. Had hij zich de beroemde commissaris zo voorgesteld? Of was hij misschien teleurgesteld?

– Ik geef u volkomen de vrije hand, maar houdt u mij wel op de hoogte.

– Kom mee, Aline.

– Waar naar toe? Naar de Quai des Orfèvres?

– Zo ver niet. Naar je kamer. En jij, Janvier, ga jij onze mensen die buiten staan, halen en wachten jullie met zijn drieën op mij in de salon.

Aline keek met harde blik naar de specialisten, die met hun apparaten het vertrek binnenkwamen.

– Wat gaan ze met hem doen?

– De gewone dingen. Foto's, vingerafdrukken, enzovoorts. Dat is waar, is de revolver gevonden?

Ze wees naar een tafeltje naast de divan, waarop ze hele dagen lag wanneer ze haar minnaar gezelschap hield.

– Heb jij die opgeraapt?

– Ik ben er niet aan geweest.

– Ken je die revolver?

– Voor zover ik weet, was hij van Manuel.

– Waar bewaarde hij hem?

– Overdag legde hij hem achter het radiotoestel, binnen zijn bereik, en als hij naar bed ging legde hij hem op zijn nachtkastje.

Een Smith and Wesson 38, een wapen zoals beroepsmisdadigers hebben, en geen kinderspeelgoed.

– Ga eens mee, Aline.

– Waarvoor? Ik weet niets.

Ze volgde hem met tegenzin naar de salon, deed de deur van haar slaapkamer open, een echte dameskamer met een heel groot, laag bed zoals men vaker op films dan in Parijse interieurs ziet.

De overgordijnen waren van hooggele zijde; een heel groot, wit tapijt van geitehaar bedekte bijna de hele vloer, terwijl het licht van buiten door tulen glasgordijnen in een fijn gouden stof omgezet werd.

– Ik luister, zei ze snibbig.

– Ik ook.

– Dat kan dan lang duren.

Ze liet zich in een met ivoorkleurige zijde bekleed damesfauteuiltje vallen. Maigret durfde niet te gaan zitten in de stoelen die er teer uitzagen en hij aarzelde of hij zijn pijp zou aansteken.

– Ik ben ervan overtuigd, Aline, dat jij hem niet vermoord hebt.

– Zonder gekheid?

– Nu moet je niet sarcastisch worden. Verleden week heb je me nog geholpen.

– Dat is ook bepaald niet het slimste wat ik in mijn leven gedaan heb. Dat blijkt hier wel uit, dat die twee mannen van u nog steeds voor het huis op wacht staan en dat de langste van de twee me vanmorgen nog gevolgd heeft.

– Dat moet ik doen. Het is mijn beroep...

– Kotst u daar nooit van?

– Als we nu eens ophielden met bekvechten? Ik doe nu eenmaal mijn werk zoals jij het jouwe doet en dat we elk aan een andere kant van de scheidslijn staan, is van geen belang.

– Ik heb in mijn leven nog nooit iemand kwaad gedaan.

– Dat is mogelijk. Maar iemand heeft Manuel wel kwaad gedaan, kwaad dat niet te herstellen is.

Hij zag de tranen in de ogen van de jonge vrouw opwellen en ze leken niet geveinsd. Aline snoot onhandig haar neus, op de manier van een schoolmeisje dat probeert haar snikken te verbergen.

– Waarom moet...

– Moet wat?

– Nee, niets. Ik weet het niet. Dat hij dood is. Dat ze hem moesten hebben. Alsof hij al niet ongelukkig genoeg was, met één been, en altijd opgesloten te zitten tussen vier muren.

– Hij had jouw gezelschap.

– Dat maakte het ook moeilijk voor hem, want hij was jaloers. Maar de hemel weet dat daar geen reden voor was.

Maigret nam een gouden sigarettenkoker van de toilettafel, hield die Aline voor. Ze nam werktuiglijk een sigaret.

– Het was vijf voor tien toen je met je boodschappen thuiskwam, is het niet?

– Ja. Dat kan de inspecteur getuigen.

– Tenzij je hem van je afgeschud hebt, zoals wel meer gebeurd is.

– Vandaag niet.

– Je hoefde dus niet iemand te gaan opzoeken voor Manuel, niemand instructies te geven of op te bellen.

Ze haalde de schouders op, terwijl ze machinaal de rook wegblies.

– Ben je langs de grote trap naar boven gegaan?

– Waarom zou ik de diensttrap genomen hebben? Ik ben toch geen dienstbode?

– Ben je toen eerst naar de keuken gegaan?

– Ja. Zoals altijd als ik boodschappen gedaan heb.

– Mag ik even kijken?

– Doet u die deur maar open. De deur aan de andere kant van de gang is van de keuken.

Hij wierp slechts een korte blik in de keuken. De werkster was bezig koffie te zetten. De tafel lag vol groenten.

– Heb je de tijd genomen om je net uit te pakken?

– Ik geloof het niet.

– Weet je het niet zeker?

– Er zijn van die dingen die je automatisch doet. Na wat er daarna gebeurd is, heb ik moeite me de dingen te herinneren.

– Zoals ik je ken, ben je toen dus naar Manuels kamer gegaan om hem te zeggen dat je weer thuis was en om hem een kus te geven.

– Ja, en u weet even goed als ik hoe ik hem toen aantrof.

– Maar ik weet niet, wat jij toen gedaan hebt.

– Ik geloof, dat ik eerst een gil gegeven heb. Ik vloog instinctief naar hem toe en toen ik al dat bloed zag ben ik hard weggelopen. Ik weet wel dat het laf van me was, maar ik kon het niet aanzien. Ik kon hem zelfs niet eens nog een laatste kus geven. Arme papa!

De tranen liepen nu over haar wangen, maar ze deed geen moeite om ze weg te vegen.

– Heb je de revolver opgeraapt?

– Neen. Dat heb ik u al gezegd. Ziet u nu wel? U beweert dat u mij gelooft en nauwelijks zijn we alleen of u probeert alweer mij erin te laten lopen.

– Ben je er helemaal niet aan geweest, ook niet om hem af te vegen?

– Ik heb niets aangeraakt.

– Hoe laat kwam de werkster?

– Dat weet ik niet. Ze komt altijd langs de dienst-trap en ze komt ons nooit storen als we in Manuels kamertje zijn.

– Heb je haar niet binnen horen komen?

– Je kunt haar daar niet horen.

– Komt ze wel eens te laat?

– Heel vaak. Ze heeft een zieke zoon, die ze moet helpen voor ze hierheen komt.

– Je hebt pas om kwart over tien het politiebureau opgebeld. Waarom heb je daar zo lang mee gewacht? En waarom heb je niet in de eerste plaats een dok-ter gebeld?

– U hebt hem toch gezien? Als iemand er zo uitziet dan begrijp je heus wel dat hij dood is.

29

– Wat heb je gedaan in de twintig minuten die er verlopen zijn tussen je ontdekking van de moord en je telefoontje naar het politiebureau? Een goede raad, Aline: antwoord niet te vlug. Ik ken je. Ik neem het je niet kwalijk, maar je hebt vaak tegen me gelogen. Ik weet niet zeker of de rechter-commissaris zulke dingen wel net zo gemakkelijk opneemt als ik. En die heeft over je vrijheid te beslissen!

De straatmeid kwam weer boven toen ze, met een hoonlach en op brutale toon, protesteerde:

– Dat zou het toppunt zijn! Dat *ik* gearresteerd werd! En dan zijn er nog mensen die geloven dat er recht bestaat! Gelooft *u* dat, na wat u overkomen is? Zegt u eens, gelooft u dat?

Maigret vond het beter daar maar geen antwoord op te geven.

– Kijk eens, Aline, ik vrees dat die twintig minuten van kapitaal belang zullen worden. Manuel was een voorzichtig man. Ik denk niet dat hij hier in huis papieren of dingen bewaarde die hem in moeilijkheden zouden kunnen brengen, en nog minder sieraden of grote geldbedragen.

– Waar wilt u naar toe?

– Begrijp je dat niet? Het eerste wat in iemand opkomt als hij een lijk vindt, is een dokter of de politie waarschuwen.

– Nu, dan ben ik zeker anders dan andere mensen.

– Je bent toch niet twintig minuten lang bij het lijk van Manuel blijven staan.

– Een hele poos, in ieder geval.

– Zonder iets te doen?

30

– Ik ben begonnen met te bidden, als u het dan per
se weten wilt. Ik weet wel dat het idioot is, want ik
geloof niet aan hun Lieve Heer. Maar er zijn van
die momenten dat dat vanzelf weer in je bovenkomt.
Of het nut heeft of niet, ik heb een gebed opgezegd
voor de rust van zijn ziel.
– En toen?
– Toen ben ik op en neer gaan lopen.
– Waar?
– Van Manuels kamertje naar deze kamer en van
hier weer naar Manuel. Ik praatte voortdurend hard-
op in mezelf. Ik voelde me als een beest in een kooi,
als een leeuwin die ze haar mannetje en haar jongen
afgenomen hebben. Want hij was alles voor mij, mijn
man en mijn kind tegelijk.
Ze sprak met hartstochtelijke bewogenheid, terwijl
ze de kamer op en neer liep, alsof ze hem wilde laten zien hoe ze 's morgens gelopen had.
– Heeft dat twintig minuten geduurd?
– Misschien.
– En kwam je niet op het idee de werkster op de
hoogte te brengen?
– Ik heb zelfs geen moment aan haar gedacht en ik
ben me ook geen moment bewust geweest, dat zij
in de keuken was.
– Ben je de deur niet uit geweest?
– Waar had ik naar toe moeten gaan? Vraag het
maar aan uw mensen.
– Goed. Laten we aannemen dat je de waarheid
gesproken hebt.
– Dat heb ik ook.

31

Ze kon, als ze wilde, heel vriendelijk en behulpzaam zijn. Misschien was de kern wel goed bij haar en hield ze oprecht van Manuel. Maar haar ervaringen hadden bij haar, zoals bij vele anderen, een behoefte achtergelaten om hatelijk, agressief te doen.

Hoe had ze ook in het goede, in het recht kunnen geloven, de mensen vertrouwen kunnen schenken na het leven dat ze tot haar ontmoeting met Palmari geleid had?

– We zullen eens even een kleine proefneming doen, bromde Maigret terwijl hij de deur opendeed.

– Moers! Kun je hier komen met de paraffine? riep hij.

Het appartement zag eruit, nu, alsof er verhuizers bezig waren en Janvier, die de inspecteurs binnengeroepen had, Baron en Vacher, wist niet waar hij blijven moest.

– Nog een ogenblikje geduld, Janvier. Kom binnen, Moers.

Moers had het al begrepen en legde alles klaar voor de proef.

– Mag ik uw hand even, mevrouw?

– Waarvoor?

– Om vast te stellen dat je vanmorgen niet met een vuurwapen geschoten hebt, legde de commissaris uit. Ze stak, zonder een spier te vertrekken, haar rechterhand uit. Voor alle zekerheid werd de proef ook nog met de linkerhand genomen.

– Wanneer kun je me de uitslag vertellen, Moers?

– Over een minuut of tien. Ik heb alles wat ik nodig heb beneden in de auto.

– Is het echt waar, dat u mij niet verdenkt en dat u dit alleen maar doet omdat het de gewoonte is bij een onderzoek?

– Ik ben er zo goed als zeker van, dat jij Manuel niet vermoord hebt.

– Waar verdenkt u mij dan van?

– Dat weet je beter dan ik, meisje. Ik heb geen haast. Het zal wel blijken.

Dan riep hij Janvier en de beide inspecteurs, die zich niet erg op hun gemak voelden in die wit en gele slaapkamer.

– Zo, nu is het jullie beurt, kinderen.

Aline stak, als om zich op de strijd voor te bereiden, een sigaret op en blies met een geringschattend gezicht de rook uit.

2

Neen, dat had Maigret niet verwacht, die morgen,
toen hij de deur uitging, dat hij weer in de Rue des
Acacias zou komen, waar hij een week tevoren zo
veel angstige uren doorgebracht had. Het was een
gewone werkdag – een stralende zomerdag – die
voor hem, evenals voor enkele miljoenen andere Parijzenaars, begon. Nog minder had hij verwacht, dat
hij daar om één uur 's middags in *Chez l'Auvergnat*
aan tafel zou zitten met mr. Ancelin, de rechter-commissaris.
Het was een klein, ouderwets restaurantje, tegenover het huis waar Palmari woonde, met zijn tradi-
tionele zinken toonbank, zijn aperitieven die bijna
niemand, behalve oude mensen, meer dronk, zijn
eigenaar met de blauwe schort voor, opgestroopte
hemdsmouwen, en een gitzwarte snor.

Aan het plafond hingen rookworsten, kleine kalfs-
worstjes, kazen in de vorm van een kalebas, hammen
met een grijsachtig zwoerd alsof ze in de as gelegen
hadden en in de etalage zag men heel grote opgemaakte schotels die regelrecht uit Auvergne gekomen waren.
Achter de glazen deur zag men de kleine, schrale
vrouw van de eigenaar bezig voor haar fornuis.
– U wilde wat eten? Een tafeltje voor twee personen?
Over het zeildoek van de tafeltjes lag geen tafellaken, maar crêpepapier, waarop de eigenaar zijn op-
tellingen maakte. Op een leitje stond met krijt het
menu geschreven:

Varkensworstjes uit Le Morvan
Schijf kalfsvlees met linzen
Kaas
Gebak

De dikke rechter genoot in deze omgeving en snoof
met innig welbehagen de sterke etenslucht op. Er
zaten nog maar twee of drie gasten zwijgend te eten,
vaste bezoekers, die de eigenaar bij de naam noemde.
Dit was, sedert maanden, het hoofdkwartier van de
inspecteurs die elkaar aflosten om Manuel Palmari
en Aline in het oog te houden, waarbij er altijd één
klaarstond om de jonge vrouw te volgen zodra ze de
deur uitkwam.
Voorlopig scheen hun taak geëindigd.

– Zo, dit is dan de eerste keer dat wij eens samen-
werken. Ik had er allang naar verlangd kennis met
u te maken. Ik heb zoveel van u gehoord, dat ik bran-
dend nieuwsgierig was, u eens aan het werk te zien.
Maigret wist niet wat te antwoorden en hij bromde:
– Houdt u van kalfsvlees met linzen?
– Ik houd van alle gerechten van het platteland. Ik
ben zelf ook een boerenzoon en mijn jongste broer
drijft de boerderij die we van mijn vader geërfd hebben.
Een half uur tevoren, toen Maigret uit Alines kamer
kwam, had hij tot zijn verwondering in Palmari's
kamertje de rechter aangetroffen, die daar stond
te wachten.
Op dat moment had Moers zijn eerste verslag al aan
de commissaris uitgebracht. De paraffineproef was
negatief gebleken. Met andere woorden, de schoten
waren niet door Aline afgevuurd.
– Geen enkele vingerafdruk op de revolver, die zorgvuldig schoongewreven is, evenals de deurknoppen,
ook die van de voordeur.
Maigret had zijn wenkbrauwen gefronst.
– Er waren dus op de knop van de huisdeur ook
geen vingerafdrukken van Aline?
– Precies.
– Ik heb altijd handschoenen aan als ik uitga, ook
's zomers, want ik heb een ontzettende hekel aan
klamme handen, had Aline zich in het gesprek ge-
mengd.
– Welke handschoenen had je vanmorgen aan toen
je boodschappen ging doen?

– Witte garen handschoenen. Hier! Deze.

Ze haalde ze tevoorschijn uit een grote handtas. Er zaten groene vlekken op van de groenten die ze betast had.

– Baron! riep Maigret.

– Ja, chef?

– Heb jij Aline gevolgd vanmorgen?

– Ja. Ze is even voor negenen de deur uitgegaan en ze had die tas daar op tafel bij zich en nog een rood boodschappennet.

– Had ze handschoenen aan?

– Ja, witte handschoenen, zoals gewoonlijk.

– Ben je haar geen ogenblik kwijt geraakt?

– Ik ben niet mee naar binnen geweest in de winkels, maar ik heb haar geen moment uit het oog verloren.

– Heeft ze nergens opgebeld?

– Neen. Bij de slager moest ze heel lang op haar beurt wachten. Ze heeft geen woord gesproken met de vrouwen met wie ze in de rij stond.

– Weet je ook hoe laat ze weer thuiskwam?

– Op de minuut af. Zes voor tien.

– Had je de indruk dat ze gehaast was?

– Neen, integendeel. Ze maakte de indruk van iemand die wat rondslentert voor haar plezier, die geniet van het prachtige weer. Het was al warm en ik zag transpiratiekringen onder haar armen.

Maigret transpireerde ook en hij voelde dat zijn overhemd nat was, ofschoon hij een heel licht colbertje aan had.

– Roep Vacher eens even voor me. Zeg Vacher, terwijl Baron achter Aline Bauche aan liep, bleef jij natuurlijk op je post. Waar stond je precies?

– Voor het huis van de tandarts vlak tegenover Palmari; ik ben alleen even weg geweest, vijf minuten hoogstens, om een glas witte wijn te drinken in *Chez l'Auvergnat*. Maar bij de toonbank heb je het volle gezicht op de ingang van het huis.

– Weet je ook wie er in- en uitgegaan zijn?

– De eerste die ik gezien heb, was de conciërge, die buiten een mat kwam kloppen. Ze herkende me en gromde iets wat ik niet verstaan kon, want ze mag ons niet en beschouwt ons surveilleren als een persoonlijke belediging.

– En verder?

– Ongeveer tien over negen kwam er een jong meisje met een tekenmap onder haar arm naar buiten. Dat is juffrouw Lavancher, van de familie op de eerste etage rechts. Haar vader is controleur bij de metro. Ze gaat iedere morgen naar een tekenacademie op de Boulevard des Batignolles.

– En daarna? Is er niemand naar binnen gegaan?

– Een slagersknecht heeft vlees bezorgd, ik weet niet voor wie. Ik ken hem wel, want ik zie hem altijd in de slagerij van Mauduit, een eindje verderop in de straat.

– Wie nog meer?

– De Italiaanse van de derde etage heeft kleedjes uitgeslagen buiten het raam. Toen kwam, even voor tienen, Aline thuis met een net vol boodschappen en Baron kwam weer bij mij. We waren heel verbaasd, toen we even later de commissaris van politie zagen

38

komen, en daarna de rechter-commissaris en daarna u zelf. We wisten niet wat we doen moesten. We dachten, omdat we geen instructies hadden, dat het het beste was om maar op straat te blijven wachten.

– Ik zou in het begin van vanmiddag graag een complete lijst hebben van de huurders hier in huis, etage voor etage, met de samenstelling van de gezinnen, beroep, gewoonten, enzovoorts. Gaan jullie daar samen mee beginnen.

– Moeten we ze ook ondervragen?

– Neen, dat doe ik zelf.

Het lijk van Manuel was inmiddels weggehaald en de politiearts was waarschijnlijk al bezig met de sectie.

– En jou moet ik verzoeken, Aline, om niet de deur uit te gaan. Inspecteur Janvier blijft hier. Zijn jouw mensen weg, Moers?

– Ja, ze hadden alles gedaan hier. Om een uur of drie zijn de foto's en de vergrotingen van de vingerafdrukken klaar.

– Zijn er dan toch vingerafdrukken gevonden?

– Ja, op verschillende dingen, zoals altijd. Op de asbakken, bijvoorbeeld, op de radio, het televisietoestel, de grammofoonplaten, allemaal dingen die de moordenaar waarschijnlijk niet aangeraakt heeft en die hij dus niet nodig vond schoon te wrijven.

Maigret fronste de wenkbrauwen en op dat moment bemerkte hij, dat mr. Ancelin in gespannen aandacht naar hem stond te kijken en van zijn gezicht trachtte te lezen wat er in hem omging.

– Zal ik sandwiches voor jullie boven laten brengen, kinderen?

– Neen, chef, wij gaan wel eten als u klaar bent.

Bij de trap vroeg de rechter:

– Gaat u thuis eten?

– Helaas niet. Ik zou kreeft krijgen...

– Mag ik dan zo vrij zijn u uit te nodigen?

– Neen, ik nodig u uit, want ik ken deze buurt beter dan u. Als u het tenminste niet erg vindt in een klein eethuisje te eten waar specifieke gerechten uit Auvergne geserveerd worden...

Zo zaten ze dus aan een tafeltje met een papieren tafellaken en de commissaris haalde van tijd tot tijd zijn zakdoek tevoorschijn om zijn voorhoofd af te vegen.

– U beschouwt die paraffineproef, geloof ik, als afdoende, is het niet, mijnheer Maigret? Ik heb vroeger die wetenschappelijke onderzoekingsmethoden wel bestudeerd, maar ik moet u bekennen dat ik er niet veel van onthouden heb.

– Die paraffineproef is inderdaad volkomen betrouwbaar, tenzij de moordenaar met handschoenen aan gewerkt heeft. Maar anders toont de proef onverbiddelijk sporen van kruit in zijn handen aan, tot twee of drie dagen nadat hij geschoten heeft.

– Dacht u niet dat die Aline, die maar een paar uur per dag hulp heeft, gummi handschoenen zou gebruiken, al was het alleen maar om de vaat te wassen?

– Dat is wel waarschijnlijk. We zullen dat straks eens onderzoeken.

Hij begon de kleine rechter met meer belangstelling te bekijken.

– Die worstjes zijn heerlijk. Ze doen me denken aan de worst die we thuis maakten als het varken geslacht was. Is het waar, mijnheer Maigret, dat u gewend bent uw onderzoeken alleen te verrichten, alleen met uw medewerkers bedoel ik, en te wachten met verslag aan het Parket en de rechter-commissaris uit te brengen tot u min of meer definitieve resultaten bereikt heeft?

– Dat is tegenwoordig haast niet mogelijk meer. De verdachten hebben al bij het eerste verhoor recht op de aanwezigheid van hun advocaat en de advocaten, wie de sfeer van de Quai des Orfèvres niet erg aanstaat, voelen zich meer op hun gemak als er een magistraat bij is.

– Dat ik er vanmorgen bij gebleven ben en dat ik er prijs op stelde met u te lunchen, was niet om uw optreden te controleren, neemt u dat alstublieft van mij aan, en nog minder om zelf het heft in handen te houden. Zoals ik u al gezegd heb, ben ik erg benieuwd naar uw methodes en door u aan het werk te zien, zal ik ongetwijfeld heel veel leren.

Maigret antwoordde slechts met een vaag gebaar op dit compliment.

– Is het waar, dat u zes kinderen heeft? vroeg hij op zijn beurt.

– Ja, en over drie maanden zullen het er zeven zijn. De ogen van de rechter lachten, alsof hij de maatschappij daarmee een kostelijke poets bakte.

– Dat is heel leerzaam. Weet u, kinderen hebben,

heel jong al, alle deugden en gebreken van de volwassenen, zodat je door hen in hun doen en laten gade te slaan, de mensen leert kennen.

– En uw vrouw...

Hij had willen zeggen:

– En uw vrouw, denkt die er ook zo over?

Maar de rechter ging verder:

– Mijn vrouw zou, geloof ik, het liefst een konijnenmoeder in een groot konijnenhok geweest zijn. Ze is nooit zo opgewekt en zo onbezorgd als wanneer ze weer in verwachting is. Ze wordt heel zwaar, ze weegt dertig kilo meer dan in het begin, maar ze heeft er niet de minste last van.

Een vrolijke, optimistische rechter-commissaris, die genoot van zijn kalfsvlees met linzen in een klein eethuisje, alsof hij daar dagelijks kwam eten.

– U kende Manuel goed, is het niet?

– Al meer dan twintig jaar.

– Glashard zeker?

– Glashard en toch ook weer goedhartig. Het is moeilijk te zeggen. Toen hij in Parijs kwam, na in Marseille en aan de Côte d'Azur rondgezworven te hebben, was het een uitgehongerd roofdier. De meesten van dat soort komen al spoedig in aanraking met de politie en belanden in de gevangenis.

Maar Palmari heeft ervoor weten te zorgen, alhoewel hij in de onderwereld leefde, dat hij onopgemerkt bleef en toen hij *Le Clou Doré* overnam, dat toen nog maar een klein cafeetje was, heb ik hem zonder al te veel moeite zover kunnen krijgen, dat hij ons inlichtingen over zijn vaste bezoekers verstrekte.

– Hij was dus een van uw verklikkers?
– Ja en neen. Hij liet nooit zo heel veel los, alleen maar voldoende om met ons op goede voet te blijven. Zo heeft hij bijvoorbeeld altijd volgehouden, dat hij de twee mannen die op hem geschoten hebben terwijl hij de rolluiken aan het neerlaten was, niet gezien heeft. En het was schijnbaar toeval, dat er een paar maanden later in het Zuiden twee moordenaars uit Marseille werden neergeschoten.
– Kon hij het goed vinden met Aline?
– Zij had een enorme invloed op hem, hij zag de dingen uitsluitend door haar ogen. Vergist u zich niet, mijnheer: dat meisje is een persoonlijkheid, ondanks haar afkomst en haar minder fraaie leven voor ze bij Manuel kwam. Ze is veel intelligenter dan Palmari was en onder goede leiding had ze naam kunnen maken bij het toneel of de film, of met veel succes een zaak kunnen drijven.
– Gelooft u dat ze van hem hield, ondanks het verschil in leeftijd?
– De ervaring heeft me geleerd, dat de leeftijd voor vrouwen, voor bepaalde vrouwen althans, geen rol speelt.
– U verdenkt haar dus niet van de moord?
– Ik verdenk niemand en ik verdenk iedereen.
Er zat nog maar één bezoeker te eten en twee stonden er aan de toonbank, arbeiders die in de buurt op karwei waren. Het kalfsvlees was heerlijk en Maigret kon zich niet herinneren ooit zulke sappige, malse linzen gegeten te hebben. Hij nam zich voor hier ook eens met zijn vrouw te gaan eten.

– Zoals ik Palmari ken, lag de revolver vanmorgen op zijn plaats achter de radio. Als Aline hem niet vermoord heeft, moet het iemand geweest zijn die door Palmari volkomen vertrouwd werd, iemand die waarschijnlijk in het bezit van een huissleutel was. Maar in al die maanden dat het huis bewaakt wordt, heeft Palmari niet éénmaal bezoek gehad.

Hij moest door de zitkamer, waarvan de deur altijd openstaat; bij Manuel moest hij achter de rolstoel langs om de revolver te grijpen. Als het een beroepsmisdadiger is, kent hij de paraffineproef. Maar ik kan me slecht voorstellen dat een bezoeker met gummi handschoenen aan bij Palmari komt. En, tenslotte, hebben mijn inspecteurs geen enkel verdacht persoon naar binnen zien gaan. De conciërge, die ondervraagd is, heeft evenmin iemand gezien. De slagersknecht, die iedere dag op dezelfde tijd vlees komt brengen, kunnen we buiten beschouwing laten.

– Kan er niet iemand gisteravond of vannacht het huis binnengegaan zijn en zich in het trappenhuis verborgen gehouden hebben?

– Dat is een van de dingen die ik vanmiddag wilde onderzoeken.

– U beweerde daarstraks, dat u geen enkel idee had. Zoudt u het mij kwalijk nemen wanneer ik u ervan verdacht, dat u toch wel iets in uw achterhoofd heeft?

– Dat is ook zo. Ik ben alleen bang dat dat iets is, waar ik niet verder mee kom. Het huis heeft vijf etages, de straatverdieping en de zolderkamers niet meegerekend. Elke etage bevat twee appartementen. Dat geeft dus een bepaald aantal huurders.

Maandenlang zijn alle telefoongesprekken van Palmari opgenomen. Het zijn allemaal volkomen onschuldige gesprekken.

Ik heb nooit kunnen geloven dat die man helemaal afgesneden van de wereld leefde. Ik heb Aline iedere keer dat ze uitging, laten schaduwen.

Daardoor heb ik het bewijs gekregen dat ze meermalen bij winkeliers waar ze boodschappen deed, achter de winkel opgebeld heeft.

Het is haar ook enkele malen gelukt, door de klassieke truc van het huis met de twee ingangen, van het warenhuis of de metro, voor een paar uur aan onze bewaking te ontsnappen.

Ik heb de datums daarvan, en ook van die telefoontjes. Ik heb ze vergeleken met de datums van de juwelendiefstallen.

– En vallen die samen?

– Ja en neen. Niet allemaal. Vaak volgde er vijf of zes dagen na zo'n telefoontje een juwelenroof, maar dat ze uitging en de inspecteur die haar volgde, afschudde, was soms een paar uur nadat er een roof gepleegd was. Trekt u daar uw eigen conclusies maar uit, zonder uit het oog te verliezen dat die overvallen bijna allemaal gepleegd zijn door jonge kerels zonder strafregister, die er ogenschijnlijk speciaal voor uit het Zuiden of uit de provincie gekomen waren. Neemt u nog niet een stukje taart?

Het was een pruimentaart, sappig en met een kaneelsmaak.

– Als u ook nog een stukje neemt.

Ze eindigden hun maaltijd met een glaasje *marc* uit een fles zonder etiket, een *marc* van minstens 65%, die hun wangen deed gloeien.

– Ik begin het geval nu een beetje te overzien… zuchtte de rechter, terwijl hij ook zijn voorhoofd afveegde. Jammer, dat mijn tegenwoordigheid op het Paleis vereist wordt en dat ik uw onderzoek niet stap voor stap volgen kan. Weet u al hoe u het gaat aanvatten?

– Ik heb er geen flauw idee van. Als ik een bepaald plan had, zou ik dat over een paar uur toch weer moeten veranderen. Voorlopig ga ik me bezighouden met de huurders daar in huis. Ik ga bij iedere deur aanbellen, als een verkoper van stofzuigers. En dan ga ik weer terug naar onze Aline, die nog niet alles verteld heeft en inmiddels tijd gehad heeft om na te denken. Hoewel dat nog niet betekent, dat ze spraakzamer zal zijn dan vanmorgen.

Ze stonden op, na een korte schermutseling over het betalen van de rekening.

– Ik heb mijzelf uitgenodigd, protesteerde de rechter.

– Ik ben hier min of meer thuis, beweerde Maigret. De volgende keer, als we ergens anders gaan eten, is het uw beurt.

De eigenaar riep hen van achter zijn toonbank toe:

– Heeft het gesmaakt, heren?

– Voortreffelijk!

Zo voortreffelijk, dat ze zich allebei een beetje loom en slaperig voelden, vooral toen ze in de volle zon kwamen.

– Bedankt voor de maaltijd, mijnheer Maigret. En wacht u niet al te lang met mij op de hoogte te stellen..

– Dat beloof ik u.

En terwijl de dikke rechter zich met hoogrood gezicht achter het stuur van zijn oude, roestige autootje werkte, ging de commissaris nogmaals het huis binnen, dat hem steeds vertrouwder werd.

Hij had heerlijk gegeten. Hij had de smaak van de *marc* nog in zijn mond. Hij voelde zich behaaglijk in de warmte, al maakte die hem slaperig, en het felle zonlicht gaf hem een gevoel van blijheid.

Manuel hield ook van lekker eten, van *marc* en van die lome warmte van de mooie zomerdagen.

Hij lag nu waarschijnlijk, onder een grof laken, in een metalen lade in het Instituut voor Gerechtelijke Geneeskunde.

Baron liep zacht fluitend in de zitkamer op en neer. Hij had zijn jasje uitgetrokken en het raam opengezet, en Maigret begreep dat hij ernaar verlangde te gaan eten, maar niet zonder eerst een groot glas bier gedronken te hebben.

– Je kunt wel gaan. Leg je rapport maar op mijn bureau.

De commissaris riep Janvier die, ook in hemdsmouwen, in Manuels kamertje zat, waar hij de jaloezie-en neergelaten had. Toen Maigret binnenkwam, stond hij op en zette het boek waarin hij had zitten lezen, weer op de plank en greep zijn jasje.

– Is de werkster weg?

– Ja, maar ik heb haar eerst ondervraagd. Ze is niet erg spraakzaam. Het is een nieuwe, ze is pas in het begin van deze week gekomen. De vorige schijnt naar de provincie teruggegaan te zijn, Bretagne geloof ik, om haar zieke moeder te verplegen.

– Hoe laat is ze hier gekomen vanmorgen?

– Ze zegt om tien uur.

Er zijn in Parijs, evenals elders, werksters in soorten. Deze, mevrouw Martin zoals ze heette, behoorde tot de meest onaangename categorie, die van de vrouwen die veel tegenslag gehad hebben, die het ongeluk blijft achtervolgen alsof ze dat aantrekken, en die daar de hele wereld voor verantwoordelijk stellen.

Ze droeg een uitgezakte zwarte jurk, scheefgelopen schoenen en ze keek de mensen met geniepige valse blik aan, alsof ze voortdurend verwachtte aangevallen te worden.

– Ik weet niets, had ze aan Janvier verklaard, zelfs nog voor deze zijn mond opengedaan had. U heeft het recht niet mij lastig te vallen. Ik werk hier pas vier dagen.

Men voelde dat ze gewend was onder haar werk vol wrok in zichzelf te lopen mompelen.

– Ik ga hier weg en ik laat me door niemand tegenhouden. Ik zet hier geen voet meer. Ik dacht het wel, dat ze niet getrouwd waren en dat dat de een of andere dag op een drama zou uitlopen.

– Waarom dacht u dat de dood van mijnheer Palmari iets te maken had met het feit dat ze niet getrouwd waren?

– Dat is toch zeker altijd zo?

– Langs welke trap bent u bovengekomen?

– Langs de diensttrap, antwoordde ze bits. Er was een tijd, toen ik jong was, dat de mensen het een eer gevonden zouden hebben om me langs de grote trap boven te laten komen.

– Zag u juffrouw Bauche, toen u boven kwam?

– Neen.

– Bent u regelrecht naar de keuken gegaan?

– Daar begin ik altijd.

– Hoeveel uur per dag werkte u hier?

– Twee, van tien tot twaalf en maandags en zaterdags de hele morgen, maar een zaterdag zal ik hier goddank niet meer meemaken.

– Hoorde u niets, terwijl u in de keuken was?

– Neen. Niets.

– Waar was juffrouw Bauche?

– Dat weet ik niet.

– Moest u haar geen instructies vragen?

– Ik ben oud genoeg om te weten wat ik doen moet als me dat één keer gezegd is.

– En wat moest u dan doen?

– De boodschappen die ze zojuist gedaan had en die op de tafel lagen, opbergen. Daarna de groente schoonmaken. En dan de zitkamer stofzuigen.

– Heeft u daar nog de tijd voor gekregen?

– Neen.

– En wat kwam er als u klaar was met de zitkamer?

– De slaapkamer en de badkamer doen.

– Het kamertje van mijnheer niet?

– Neen. Dat deed de juffrouw zelf.

– Heeft u geen schot gehoord?

– Ik heb niets gehoord.

– Heeft u de juffrouw ook niet horen telefoneren?

– De deur was dicht.

– Hoe laat was het toen u juffrouw Bauche vanmorgen voor het eerst zag?

– Dat weet ik niet precies. Tien minuten of een kwartier nadat ik gekomen was.

– Hoe was ze?

– Ze had gehuild.

– Huilde ze toen niet meer?

– Neen. Ze zei tegen me:

'– Laat me niet alleen. Ik ben bang dat ik flauw ga vallen. Ze hebben papa vermoord.'

– En toen?

– Toen ging ze naar de slaapkamer en ik ging met haar mee. Pas toen ze zich op het bed had laten vallen begon ze opnieuw te huilen. Ze zei tegen me:

'– Als er gebeld wordt, ga dan opendoen. Ik heb de politie opgebeld.'

– Vroeg u niet wat er nu eigenlijk precies gebeurd was? Was u daar niet nieuwsgierig naar?

– De zaken van de mensen gaan mij niet aan. Hoe minder je weet, hoe beter het is.

– Bent u ook niet naar mijnheer Palmari gaan kijken?

– Waarom zou ik dat gedaan hebben?

– Wat dacht u van hem?

– Niets.

– En van juffrouw Bauche?

– Ook niets.

– U bent hier sedert maandag. Heeft u in die tijd ook een bezoeker gezien hier?

– Neen.

– Is er niemand geweest die mijnheer Palmari te spreken vroeg?

– Neen. Bent u klaar? Kan ik gaan?

– Als u mij uw adres geeft.

– Dat is niet ver. Ik woon op een zolderkamer in het oudste huis van de Rue de l'Etoile, op 27 bis. U kunt me daar alleen 's avonds vinden, want ik ga de hele dag uit werken. En denkt u er wel om, dat ik een grote hekel heb aan alles wat politie is.

Wat Janvier hier voorlas aan de commissaris, was de verklaring van de vrouw, zoals hij die stenografisch opgenomen had.

– Is Moers al lang weg?

– Ongeveer drie kwartier. Hij heeft alles doorzocht hier, de boeken een voor een doorgebladerd, in de hoezen van de grammofoonplaten gekeken. Ik moest u van hem zeggen, dat hij niets gevonden had. Ook geen geheime bergplaatsen in de muren, geen dubbele bodems in de laden van de kasten.

Voor alle zekerheid heeft hij ook de stofzuiger geleegd en het stof meegenomen om te onderzoeken.

– Ga jij maar eten nu. Ik kan je het menu in *Chez l'Auvergnat* aanbevelen, als je dat tenminste nog krijgen kunt om deze tijd. Als je klaar bent, kom me hier dan ophalen. Heb je commissaris Clerdent gevraagd nog niets aan de pers mee te delen?

– Ja. Tot straks dan, chef. Wat ik zeggen wilde, heeft die rechter het u erg lastig gemaakt?

51

– Neen, integendeel. We beginnen nu al goede vrienden te worden.

Toen Maigret alleen was, trok hij zijn jasje uit, stopte langzaam een pijp en begon om zich heen te kijken alsof hij bezit nam van de woning.

De rolstoel van Palmari, die hij voor het eerst leeg zag, kreeg opeens iets ontroerends, vooral omdat in het leer van de zitting en de rugleuning de indrukken van het lichaam nog te zien waren, en het gat van een der kogels, die in de vulling van de leuning was blijven steken.

Hij bladerde werktuiglijk wat in de boeken, bekeek de titels van de grammofoonplaten, zette een ogenblik de radio aan, die een bepaald merk babyvoeding aanprees.

Hij haalde de jaloezieën voor de ramen op, waarvan het een uitzag op de Rue des Acacias, het ander op de Rue de l'Arc-de-Triomphe.

Sedert drie jaar leefde Palmari van de morgen tot de avond in dit vertrek, dat hij alleen maar verliet om naar bed te gaan nadat Aline hem, als een kind, uitgekleed had.

Naar hij tien dagen tevoren beweerd had, en de inspecteurs bevestigden dat, ontving hij geen enkel bezoek en Aline vormde voor hem, behalve de radio en de televisie, de enige schakel met de buitenwereld.

Maigret liep tenslotte de zitkamer door en klopte op de deur van de slaapkamer. Toen hij geen antwoord kreeg, deed hij de deur open en zag Aline op haar rug op het grote bed liggen, naar het plafond starend.

– Ik heb je, hoop ik, toch niet wakker gemaakt?

– Ik sliep niet.

– Heb je gegeten?

– Ik heb geen honger.

– Je werkster heeft gezegd dat ze niet meer terugkomt.

– Dacht u dat dat mij wat schelen kon? Ik wou dat u ook niet meer terugkwam.

– Wat zou je dan doen?

– Niets. Als u ook eens doodgeschoten werd, zou uw vrouw het dan prettig vinden als er allerlei mensen bij haar binnen kwamen lopen en haar het hemd van het lijf vroegen?

– Dat is helaas onvermijdelijk.

– Het is onmenselijk. Ik vind dat nog het ergste van alles.

– Het ergste, dat is dat Manuel vermoord is.

– En u verdenkt mij ervan, dat ik dat gedaan heb? Ondanks de proef die die man vanmorgen met mijn hand gedaan heeft?

– Jij kookt zeker zelf?

– Ja, zoals alle vrouwen die geen dienstbode hebben.

– Doe je dan gummi handschoenen aan?

– Niet om te koken, maar wel om groenten schoon te maken en de vaat te wassen.

– Waar zijn ze?

– In de keuken.

– Wil je me ze eens even laten zien?

Ze stond met tegenzin op, met een boze blik vol wrok.

– Komt u maar mee.

Ze moest twee laden opentrekken voor ze ze vond.

– Dit zijn ze. U kunt ze gerust naar uw mensen sturen. Ik heb ze niet aan gehad vanmorgen.

Maigret stak ze zonder iets te zeggen in zijn zak.

– In tegenstelling tot wat jij denkt, Aline, heb ik veel sympathie en zelfs een zekere bewondering voor je.

– Moet ik daardoor geroerd zijn?

– Neen. Ik wilde graag dat je met me naar Manuels kamertje ging om een poosje te praten samen.

– En anders?...

– Wat bedoel je?

– Als ik dat niet doe? Dan neemt u mij zeker mee naar uw kamer op de Quai des Orfèvres?

– Ik had liever dat het hier gebeurde.

Ze haalde haar schouders op, ging hem voor, liet zich op de smalle divan neervallen.

– U denkt zeker dat ik van streek zal raken als ik de plaats van de moord weer zie.

– Neen. Het zou beter zijn, als je ophield met zo stug en zo afwerend te zijn en met te willen verzwijgen wat je me vroeger of later toch zult moeten vertellen.

Ze stak een sigaret op terwijl ze Maigret met onverschillige blik aankeek.

De commissaris vroeg met zachte stem, op de rolstoel wijzend:

– Je wilt toch zeker dat degene die dat gedaan heeft, gestraft wordt?

– Op de politie reken ik daarvoor anders niet!

– Wou je dat liever zelf doen? Hoe oud ben je, Aline?

– Dat weet u wel. Vijfentwintig jaar.

– Je hebt dus een heel leven vóór je. Heeft Manuel een testament nagelaten?

– Daar heb ik me nooit druk over gemaakt.

– Had hij een notaris?

– Hij heeft het nooit over een notaris met mij gehad.

– Waar stortte hij zijn geld?

– Welk geld?

– In de eerste plaats wat *Le Clou Doré* hem opleverde. Ik weet dat jij iedere week van de gerant de bedragen in ontvangst nam die Manuel toekwamen. Wat deed je daarmee?

De uitdrukking die op haar gezicht kwam, leek op die van een schaker die alle mogelijke consequenties van zijn volgende zet tracht te overzien.

– Ik bracht het geld naar de bank en ik hield er alleen af wat ik voor het huishouden nodig had.

– Welke bank?

– Het filiaal van *Le Crédit Lyonnais* op de Avenue de la Grande-Armée.

– Staat die rekening op jouw naam?

– Ja.

– Is er ook nog een rekening op naam van Palmari?

– Dat weet ik niet.

– Luister eens, Aline. Jij bent een intelligent meisje. Tot nu toe heb jij, samen met Manuel, een bepaald soort leven geleid, min of meer aan de zelfkant van de maatschappij. Palmari was een van de

kopstukken daar, een mannetjesputter, die jarenlang gehoorzaamheid heeft weten af te dwingen.

Ze wees ironisch naar de rolstoel, dan naar de bloed-
vlek op het tapijt, die nog duidelijk zichtbaar was.

– Als ze een man zoals hij, die alle trucs kende, tenslotte toch gekregen hebben, wat denk je dan van
een jonge vrouw, die van nu af aan zonder bescher-
mer is?

Als je het mij vraagt, zijn er maar twee mogelijkheden. Of de kerels die hem vermoord hebben, zullen
nu heel gauw jou opzoeken, en jij zult er evenmin
levend afkomen als met hem het geval geweest is.
Of ze laten je met rust, en dat zal dan voor mij het
bewijs zijn, dat jij onder één hoedje met hen speelt.
Jij weet te veel, zie je, en in dat milieu beschouwen
ze het zo, dat alleen doden hun mond niet voorbij-
praten.

– Probeert u mij bang te maken?

– Ik probeer je tot nadenken te brengen. We pro-
beren allebei elkaar te slim af te zijn. Vind je niet
dat dat spelletje nu lang genoeg geduurd heeft?

– Dat zou dus, volgens uw theorie, bewijzen dat ik
kan zwijgen.

– Heb je er hinder van als ik het raam openzet?

Hij opende het raam waar de zon niet op stond, maar
de lucht van buiten was nauwelijks frisser dan die
in het vertrek en Maigret bleef transpireren. Hij
kon er niet toe komen te gaan zitten.

– Jij hebt hier drie jaar lang gewoond met Manuel,
die geen enkel contact met de buitenwereld had, zoals hij beweerde en jij ook. Om de waarheid te zeg-

gen, die contacten had hij door jouw bemiddeling. Officieel ging je alleen maar één keer per week, een enkele maal twee keer, naar *Le Clou Doré* om de boeken te controleren, Manuels aandeel te halen en het geld naar de bank te brengen, dat op een rekening op jouw naam kwam te staan.

Maar je had vaak behoefte om aan het toezicht van mijn inspecteurs te ontsnappen, hetzij om in het geheim te telefoneren of om een paar uur vrij te zijn.

– Ik kon toch, bijvoorbeeld, een minnaar hebben?

– Schaam je je niet een beetje zo te spreken, op een dag als vandaag?

– Ik zeg dat ook alleen maar om u te laten zien dat er zoveel mogelijkheden zijn.

– Neen, meisje.

– Ik ben uw meisje niet.

– Dat weet ik! Dat heb je me al meer gezegd. Maar er zijn momenten waarop je je gedraagt als een ondeugend schoolkind en ik je graag een draai om je oren zou geven.

Ik had het daarstraks over je intelligentie. Je schijnt alleen niet te beseffen in wat voor wespennest je zit. Dat je zo'n houding aannam zolang Palmari er was om je raad te geven en je te beschermen, dat kan ik me nog wel begrijpen. Maar voortaan ben je alleen, besef je dat? Is er nog een ander wapen in huis dan dat wat op het ogenblik bij de experts is?

– Keukenmessen.

– Dus als ik wegga en als ik je niet meer laat bewaken...

– Ik wil niets liever.

Hij haalde ontmoedigd de schouders op. Hij kreeg op geen enkele manier vat op haar, ondanks haar zichtbare neerslachtigheid en een zekere ongerustheid, die het haar niet helemaal lukte te verbergen.

– Laten we het eens over een andere boeg gooien. Palmari was zestig jaar. Sedert een jaar of vijftien was hij eigenaar van *Le Clou Doré*, die hijzelf geëxploiteerd had totdat zijn invaliditeit hem dat onmogelijk maakte. Met dat restaurant alleen al had hij veel geld verdiend, maar hij had nog andere bronnen van inkomsten.

Met dat al deed hij, afgezien van de koop van dit appartement, de meubelen en de vaste lasten, geen grote uitgaven. Waar is het vermogen dat hij op die manier bij elkaar gespaard heeft?

– Het is te laat om hem dat te vragen.

– Weet je ook of hij nog familie had?

– Neen.

– Hij hield ontzettend veel van jou. Lijkt het je dan niet waarschijnlijk, dat hij maatregelen genomen heeft om dat geld aan jou te laten vervallen?

– U schijnt het te weten.

– Mensen van zijn slag voelen er in het algemeen niet voor hun geld aan een bank toe te vertrouwen, want dan zijn de stortingsdatums bekend.

– Ik luister maar.

– Manuel werkte niet alleen.

– In *Le Clou Doré?*

– Je weet heel goed dat ik het daar niet over heb, maar over de sieraden.

– U bent twintig keer minstens hier geweest om

daar met hem over te praten. En heeft u ooit iets uit hem gekregen? Waarom denkt u dat, nu papa dood is, u bij mij wel succes zult hebben?

– Omdat je in gevaar verkeert.

– Gaat dat u wat aan?

– Ik zou het vervelend vinden als we al dat werk dat we vanmorgen gedaan hebben, voor jou ook nog eens moesten doen.

Maigret had het idee dat ze begon na te denken, maar ze zuchtte, terwijl ze haar sigaret in het asbakje uitdrukte.

– Ik heb niets te zeggen.

– Het spijt me, maar dan moet ik een van mijn mensen hier in huis laten blijven, zowel overdag als 's nachts. Een ander zal je volgen zodra je de deur uitgaat, zoals dat tot nog toe het geval geweest is. En tenslotte moet ik je officieel verzoeken Parijs niet te verlaten, vóór het onderzoek beëindigd is.

– Begrepen. Maar waar moet uw inspecteur slapen?

– Die slaapt niet als hij hier is. Als je me nog iets te vertellen hebt, het geeft niet op welk uur van de dag of van de nacht, dan kun je me op mijn kamer op de Quai of thuis opbellen. Hier is mijn nummer.

Ze stak geen vinger uit naar het kaartje dat hij haar toestak en dat hij tenslotte op het tafeltje legde.

– Nu ons gesprek afgelopen is, wil ik je mijn oprecht gemeende deelneming betuigen. Palmari heeft er de voorkeur aan gegeven, aan de andere kant van de scheidslijn te leven, maar ik wil je wel bekennen dat ik toch een soort bewondering voor hem had.

Tot ziens, Aline. Er wordt gebeld. Dat zal Janvier zijn, die klaar is met eten. Hij blijft nu hier, tot ik een ander stuur om hem af te lossen.

Hij stond op het punt haar de hand te reiken. Hij voelde een zekere ontroering. Maar wetend dat zij die hand zou negéren, trok hij zijn colbertje aan en liep naar de deur om Janvier open te doen.

– Nog iets nieuws, chef?

Hij knikte ontkennend.

– Jij blijft hier tot ik je laat aflossen. Houd haar in het oog en houd vooral de diensttrap in de gaten.

– Gaat u terug naar de Quai?

Hij maakte een vaag gebaar, zuchtte dan:

– Ik weet het niet.

Enige minuten later stond hij een glas bier te drinken in een groot café op de Avenue de Wagram. Hij had dat liever gedaan in *Chez l'Auvergnat* met zijn zoveel intiemere sfeer, maar daar was geen telefooncel. Het toestel hing er naast de toonbank, zodat de bezoekers de gesprekken konden horen.

– Nog een pils, ober, en een paar munten voor de telefoon. Geef er maar vijf.

Een dikke, pafferige prostituée, zwaar opgemaakt met alle kleuren van de regenboog, glimlachte naïef tegen hem zonder te vermoeden wie hij was. Hij had met haar te doen en hij gaf haar, om haar vergeefse moeite te besparen, door een gebaar te kennen dat hij geen interesse had.

3

Met een starende blik, door de ruit van de cel, op de bezoekers aan de tafeltjes belde Maigret eerst mr. Ancelin op om hem te vragen de verzegeling van Manuels kamertje nog wat uit te stellen.

– Ik heb een van mijn inspecteurs in het appartement achtergelaten en ik zal straks een ander sturen om er de nacht door te brengen.

– Heeft u de jonge vrouw nogmaals ondervraagd?

– Ik heb zojuist een lang onderhoud met haar gehad, maar zonder het minste resultaat.

– Waar bent u op het ogenblik?

– In een café op de Avenue de Wagram. Ik moet van hier uit nog een paar mensen opbellen.

Hij meende een zucht te horen. Was de kleine, dikke rechter niet jaloers op hem, omdat hij zich mid-

den in het bruisende leven van de stad bevond terwijl hijzelf in een stoffig vertrek zat en zich moest
verdiepen in abstrakte dossiers met hun dorre, amb-
telijke taal?

Zo had Maigret ook, toen hij nog op de H.B.S. was,
met heimwee door het raam van zijn klas gekeken
naar de mensen die op straat voorbijliepen, terwijl hij
zelf tussen vier muren opgesloten zat.

Het café zat nagenoeg vol en hij verwonderde er zich,
na zoveel jaren, nog steeds over, dat hij zoveel mensen zich vrij zag bewegen op tijden waarop anderen
in het gareel zwoegden op kantoor, werkplaats of
fabriek.

In de eerste tijd dat hij in Parijs woonde, kon hij een
hele middag op een terras op een van de Grote Bou-
levards of op de Boulevard Saint-Michel doorbrengen met kijken naar de menigte die zich langs hem
voortbewoog en met het observeren van de gezichten, waarbij hij dan trachtte te raden wat er in elk
van die zich voorthaastende mensen omging.

– Ik dank u, mijnheer. Zodra er iets nieuws is, zal
ik u onmiddellijk daarvan op de hoogte brengen.

Dan kwam de politiearts aan de beurt, die hij op zijn
kamer trof. Dat was niet meer dokter Paul, maar
zijn jonge opvolger, een minder schilderachtige figuur, maar die zijn werk met grote nauwgezetheid
verrichtte.

– Zoals u weet, hebben uw mensen een kogel teruggevonden in de leuning van de rolstoel. Die heeft het
slachtoffer van voren getroffen, toen hij al dood was.

– Van welke afstand ongeveer?

– Minder dan een meter en meer dan vijftig centimeter. Ik kan niet nauwkeuriger worden zonder te gaan fantaseren. Het projectiel dat Palmari's dood veroorzaakt heeft is van achter afgeschoten, met de loop bijna tegen de nek, niet helemaal horizontaal maar iets omhooggericht. De kogel is in de hersenen blijven steken.

– Zijn alle drie de kogels van hetzelfde kaliber?

– Voorzover ik erover kan oordelen wel, ja. Ze zijn op het ogenblik bij de expert. U krijgt morgenochtend mijn officiële rapport.

– Nog één vraag: de tijd.

– Tussen half tien en tien uur.

Vervolgens Gastinne-Renette.

– Heeft u de revolver en de drie projectielen die ik u heb laten brengen, al kunnen bestuderen?

– Ik moet nog een paar dingetjes verifiëren, maar het is nu al wel zo goed als zeker, dat de drie kogels afgeschoten zijn door de Smith and Wesson.

– Ik dank u wel.

Een bedeesde jonge man liep aarzelend tussen de tafeltjes in het café heen en weer, ging tenslotte naast de dikke vrouw met het overdadig opgemaakte gezicht zitten. Hij bestelde een glas bier, zonder haar te durven aankijken, en zijn vingers waarmee hij op het tafeltje trommelde, verrieden zijn verlegenheid.

– Hallo! Financiële Zaken? Met Maigret. Mag ik commissaris Belhomme van u?

Maigret scheen nog steeds meer geïnteresseerd in wat er in het café gebeurde dan in zijn telefoongesprek.

– Met Belhomme? Met Maigret. Ik heb je nodig, kerel. Het betreft een zekere Manuel Palmari, die in de Rue des Acacias woont. Of liever woonde, want hij is dood. Een paar vriendjes van hem vonden dat hij lang genoeg geleefd had. Palmari bezat een restaurant in de Rue Fontaine, *Le Clou Doré*, waar hij drie jaar geleden ongeveer een gerant in gezet heeft. Is het duidelijk? Hij leefde met een zekere Aline Bauche. Die heeft een rekening, op haar naam, bij het filiaal van *Le Crédit Lyonnais* op de Avenue de la Grande-Armée. Het schijnt dat ze daarop elke week een gedeelte van de ontvangsten van *Le Clou Doré* stortte.

Ik heb redenen om aan te nemen dat Palmari nog andere, belangrijker bronnen van inkomsten bezat. Er is niets bij hem gevonden, behalve een paar biljetten van duizend en van honderd francs in zijn portefeuille en twee duizend francs ongeveer in de handtas van zijn maîtresse.

Ik hoef je het geval natuurlijk niet uit te leggen. De poet zit ergens, misschien bij een notaris, maar hij kan het ook in een of meer zaken of in huizen belegd hebben. Ik ben ervan overtuigd dat het een enorm kapitaal is, of ik moest me sterk vergissen.

Dringend, zoals altijd. Dank je, kerel. Tot morgen.

Dan een telefoontje naar zijn vrouw, zoals hij ook 's morgens gedaan had.

– Ik denk niet dat ik thuis kom eten en het is zelfs mogelijk dat het heel laat wordt vanavond... Nu?... Op de Avenue de Wagram, in een café... Wat eet jij vanavond?... Een omelet met groene kruiden?...

Tenslotte de Centrale Recherche.

– Geef me Lucas even, wil je?... Ben jij dat, Lucas?...
Wil jij direct naar de Rue des Acacias gaan?... Ja...
En spreek dan met een van de mensen die nacht-
dienst hebben, af dat die je om acht uur komt aflossen... Wie heb je daar bij de hand?... Jamin?... Uitstekend... Waarschuw hem dat hij niet zal kunnen
slapen... Nee, niet buiten... Er is een gemakkelijke
fauteuil voor hem...

De jonge man stond op met vuurrode wangen, volgde, tussen de rijen tafeltjes en stoelen door, de vrouw
die zijn moeder had kunnen zijn. Was het de eerste
keer?

– Een pils, ober!

Buiten trilde de lucht van de warmte en de vrouwen
leken naakt onder hun lichte jurken.

Als de verwaande, kortaangebonden prefect Maigret
op dit moment had kunnen zien, zou hij hem er dan
weer niet van beschuldigd hebben werk te doen dat
beneden de waardigheid van een hoofdcommissaris
was?

Toch had de commissaris juist op die manier de meeste van zijn onderzoeken tot een goed einde weten te
brengen: door trap op trap af te lopen, in hoekjes en
gaatjes te snuffelen, schijnbaar onbenullige vragen
te stellen, door uren achtereen in kleine, vaak louche
cafeetjes te zitten.

De kleine rechter had dat wel begrepen en die be-
nijdde hem.

Enkele minuten later ging Maigret de loge van het
huis waar Aline woonde, binnen. Met conciërges is

het hetzelfde als met werksters: of bijzonder prettig en vriendelijk of bijzonder onhebbelijk. Hij had er ontmoet die alleraardigst, opgewekt en proper waren, bij wie de loge een toonbeeld van netheid en zindelijkheid was.

Deze, die halverwege de vijftig moest zijn, behoorde tot de andere categorie, de nijdassen, die altijd in de lappenmand zijn, altijd klaar staan om zich te beklagen over de slechtheid van de wereld en over hun droevig lot.

– O, bent u het weer?

Ze zat erwtjes te doppen, met een kopje koffie vóor zich op het zeil dat de ronde tafel bedekte.

– Wat wilt u nu weer van me? Ik heb u toch al gezegd dat ik niemand naar boven heb zien gaan, behalve de slagersknecht die hier al jarenlang vlees bezorgt.

– U heeft zeker wel een lijst van de huurders?

– Ja. Hoe zou ik het anders moeten doen met het ontvangen van de huren? Als iedereen nu maar op de eerste dag van de maand direct betaalde! Maar ik kan vaak vier of vijf keer de trappen oplopen voor mensen die zich heus niets ontzeggen!...

– Mag ik die lijst van u hebben?

– Ik weet niet of ik die wel geven mag. Ik geloof dat ik dat beter eerst aan de eigenares kan vragen.

– Heeft die telefoon?

– Daar is geen telefoon voor nodig, voor die paar stappen.

– Woont ze dan hier in huis?

– Wat! U wilt me toch zeker niet wijsmaken dat u

haar niet kent? Ach, het kan me ook niet schelen. Ik kan haar op zo'n dag als vandaag niet lastig vallen, want ze heeft al narigheid genoeg.

– U bedoelt?...

– Wist u dat niet? Nu ja, u zou het vandaag of morgen toch gehoord hebben. Als de politie eenmaal begint ergens de neus in te steken... Het is juffrouw Bauche, ja...

– Tekent zij ook de kwitanties?

– Ja, wie anders? Het is toch haar huis?

Er werd hem geen stoel aangeboden. Hij joeg de poes weg uit een rieten fauteuil en ging zitten.

– Laat u die lijst maar eens zien...

– U moet het zelf weten. Juffrouw Bauche is niet van de gemakkelijksten, maar u vertelt het haar maar...

– Is ze erg op de penning?

– Ze heeft het niet begrepen op mensen die niet betalen. Ze is bovendien sterk in haar sympathieën en haar antipathieën.

– Ik zie hier dat het appartement naast u bewoond wordt door een zekere Jean Chabaud. Wie is dat?

– Een jonge man van even in de twintig, die bij de televisie werkt. Hij is bijna altijd op reis, want hij is speciaal voor de sport, voetballen, autowedstrijden, de Tour de France...

– Getrouwd?

– Neen.

– Kent hij juffrouw Bauche?

– Ik denk het niet, want ík heb hem het huurcontract laten tekenen.

– En het appartement rechts?

– Kunt u niet lezen? Er is een bord op de deur: Mej. Jeanine Hérel, pedicure.

– Woont die hier al lang in huis?

– Vijftien jaar. Ze is ouder dan ik. Ze heeft veel klanten.

– Op de eerste etage links, François Vignon...

– Mag je geen Vignon meer heten?

– Wie is dat?

– Hij is verzekeringsagent. Getrouwd, met twee kinderen. De tweede is pas een paar maanden.

– Hoe laat gaat hij 's morgens de deur uit?

– Tegen half negen.

– In het appartement rechts, Justin Lavancher...

– Controleur bij de metro. Hij begint 's morgens om zes uur en hij maakt me iedere morgen om half zes al wakker als hij voorbij de loge komt. Een sjagrijnige man, met een leverkwaal. Zijn vrouw is een feeks, en ze zouden er beter aan doen met eens wat meer op hun dochter te letten, een kind van nog maar net zestien...

Tweede etage links: Mabel Tuppler, een Amerikaanse van een jaar of dertig, alleenwonend, die artikelen schreef voor kranten en tijdschriften in haar land.

– Neen. Ze ontvangt geen mannen. De mannen laten haar koud. Van de vrouwen zou ik dat niet durven zeggen.

Op dezelfde etage rechts een rentenier, mijnheer Maupois, met zijn vrouw, mensen van boven de zestig, die vroeger een schoenenwinkel gehad hadden, en hun dienstmeisje Amélie, die op een van de zolderkamers sliep. Twee of drie maal per jaar maakten de Maupois een reis naar Venetië, Barcelona, Napels, naar Griekenland of elders.

– Wat doen ze met hun dagen?

– Mijnheer Maupois gaat tegen elven uit om zijn aperitief te drinken en dan ziet hij er altijd uit om door een ringetje te halen. 's Middags gaat hij, na zijn dutje, met zijn vrouw wandelen of winkelen. Als ze niet zo gierig waren...

Derde etage. Aan de ene kant Jean Destouches, sportleraar op een of ander instituut bij de Porte Maillot. Gaat 's morgens om acht uur het huis uit, waarbij hij dan vaak een vrouw, zijn vriendin voor een nacht of een week, in zijn bed achterlaat.

– En iedere keer komt hij weer met een andere thuis. Je hebt nooit zoiets gezien. En hoe kan iemand sport doen als hij bijna iedere nacht om twee of drie uur pas naar bed gaat?

– Kennen Destouches en juffrouw Bauche elkaar?

– Ik heb ze nooit samen gezien.

– Was hij al hier voordat zij eigenares van het huis werd?

– Hij is hier pas verleden jaar komen wonen.

– Heeft u juffrouw Bauche nooit op zijn etage gezien, bij hem binnengaan of er vandaan komen?

– Neen.

Rechts, Gino Massoletti, importeur van een Italiaans merk auto's. Getrouwd met een bijzonder knappe vrouw.

– Een mooi nummer, die vrouw! voegde de conciërge er met een schamper lachje aan toe. En die dienstbode van hen, die ook op een zolderkamer slaapt, naast het meisje van de Maupois, is al net zo. Het is net een krolse kat en ik moet haar minstens drie maal in de week opendoen als het al licht begint te worden.

Vierde etage: Palmari, of liever wijlen Palmari, en Aline aan de linkerkant.

Op dezelfde etage de Barillards.

– Wat doet die Barillard?

– Vertegenwoordiger. Hij reist voor een fabriek van luxe verpakkingsmateriaal, bonbondozen, zakjes voor doopsuikers, doosjes voor flesjes parfum. Met Nieuwjaar krijg ik altijd een flesje parfum en een doosje geconfijte kastanjes van hem, die hem toch niets kosten.

– Hoe oud? Getrouwd?

– Tussen de veertig en de vijfenveertig. Een tamelijk knappe vrouw, nogal dik, die altijd lacht. Het is een Belgische, met heel licht haar. Ze zingt de hele dag.

– Hebben ze een dienstbode?

– Neen. Zij doet alles zelf, het huishouden, de boodschappen, en iedere middag gaat ze thee drinken in een theesalon.

– Gaat ze wel met juffrouw Bauche om?

– Ik heb ze nooit samen gezien.

Op de vijfde Tony Pasquier, tweede barkeeper in *Claridge*, zijn vrouw en twee kinderen van acht en elf jaar. Een Spaans dienstmeisje, dat evenals de beide andere dienstmeisjes in het huis, onder de hanebalken sliep.

In het appartement aan de rechterkant een Engelsman, James Stuart, vrijgezel, die pas na vijf uur
's middags uitging en pas tegen de morgen weer thuiskwam. Zonder beroep. Tegen het eind van de middag kwam er een werkster. Ging vaak voor een of
meer weken naar Cannes, Monte-Carlo, Deauville,
Biarritz en 's winters naar de wintersportcentra in
Zwitserland.

– Gaat hij ook niet met juffrouw Bauche om?
– Waarom moet het hele huis met haar omgaan?
En wat bedoelt u eigenlijk met omgaan? Dacht u dat
ze met elkaar naar bed gingen? Er is zelfs niet één
huurder die weet, dat zij de eigenares van het huis
is.

Maigret zette niettemin, uit een soort beroepsge-
woonte, een kruisje achter de naam van de Engelsman, niet omdat hij die in verband bracht met de
zaak waarmee hij bezig was, maar omdat de mogelijkheid bestond, dat hij nog eens met de Centrale
Recherche te maken zou krijgen. Met de afdeling
'harzardspelen', bijvoorbeeld.

Dan was er tenslotte nog de zevende etage, d.w.z.
de zolderkamers. De drie dienstboden, van rechts
naar links: Yolande, het meisje van de Maupois, de
renteniers op de tweede etage; het Spaanse meisje
van de Massoletti's en tenslotte dat van Tony de barkeeper.

– Woont die Stuart hier al lang in huis?
– Twee jaar. Daarvóór woonde er in dat appartement een Armenische handelaar in tapijten, van wie
hij de meubelen en de stoffering heeft overgenomen.

Op een der overige zolderkamers: juffrouw Fay, die juffrouw Josette genoemd werd. Ze was ongetrouwd en de oudste huurster in het huis. Ze was tweeëntachtig jaar en deed haar huishouden en haar boodschappen nog zelf.

– Haar kamer staat vol met vogelkooien, die ze om beurten op de vensterbank zet. Ze heeft minstens tien kanaries.

Daarnaast een kamer die leegstond, dan Jef Claes.

– Wie is dat?

– Een oude doofstomme, die alleen woont. In 1940 is hij uit België gevlucht met zijn twee getrouwde dochters en zijn kleinkinderen. Terwijl ze in het Noorden, in Douai geloof ik, op een vluchtelingentrein wachtten waarmee ze mee zouden gaan, is het station gebombardeerd en er zijn toen meer dan honderd mensen omgekomen.

De dochters en de kleinkinderen zijn ook omgekomen en de oude man zelf werd zwaar gewond aan zijn hoofd en zijn gezicht.

Een van zijn schoonzoons is in Duitsland overleden, de ander woont in Amerika en is daar hertrouwd.

Hij woont alleen, en gaat alleen maar uit om etenswaar te kopen.

De erwtjes waren al lang gedopt.

– En nu hoop ik, dat u mij met rust zult laten. Ik zou alleen graag willen weten wanneer het lijk weer thuisgebracht wordt en wanneer de begrafenis is. Ik moet bij de huurders rondgaan om geld voor een krans.

– Daar is nog niets van te zeggen.

– Daar is iemand die u schijnt te zoeken...

Het was Lucas, die het huis binnenkwam en voor de loge bleef staan.

– De politie, daar heb ik een speciale neus voor. Ik ken ze al op tien meter afstand!

Maigret glimlachte.

– Welbedankt!

– Ik heb u alleen maar geantwoord, omdat ik dat verplicht ben. Maar ik ben geen verklikster en als alle mensen zich met hun eigen zaken bemoeiden...

En ze liep naar het raam dat op de binnenplaats uitzag en zette dat wijd open, als om de loge te zuiveren van de smetstoffen, waarmee Maigret de lucht misschien bezwangerd had.

– Wat doen we, chef? vroeg Lucas.

– We gaan naar boven. Vierde etage links. Janvier zal wel snakken naar een koel glas bier. Als Aline tenminste niet wat menselijker geworden is en hem een van de flesjes gegeven heeft die ik vanmorgen in de ijskast heb zien staan.

Toen Maigret bij de deur van het appartement aanbelde, deed Janvier open met een eigenaardige uitdrukking op zijn gezicht. De verklaring daarvan kreeg de commissaris toen hij de zitkamer binnenstapte. Aline ging weg door de andere deur, die van de slaapkamer; in plaats van haar lichtblauwe jurk van 's morgens droeg ze een peignoir van oranje zijde. Op een tafeltje stonden twee glazen, waarvan één half vol, en een paar flesjes bier; daarnaast lagen speelkaarten, die juist gedeeld waren.

– U moet niet... eh... Het is niet wat u misschien denkt, chef, verdedigde de inspecteur zich onhandig.

De ogen van Maigret lachten. Hij telde terloops de stapeltjes kaarten.

– Kruisjassen?

– Ja. Ik zal het u uitleggen. Toen u weg was, heb ik erop aangedrongen dat ze wat zou eten. Maar ze wilde niets horen en sloot zich op in haar kamer.

– Heeft ze niet geprobeerd om te telefoneren?

– Neen. Ze is ongeveer drie kwartier op bed blijven liggen en toen kwam ze weer hier, in peignoir. Ze was zenuwachtig en je kon aan haar zien dat ze tevergeefs geprobeerd had om te slapen.

'– Al ben ik dan in mijn eigen huis, ik zit per slot gewoon in arrest, is het niet zo, inspecteur? zei ze tegen me. Wat zou er gebeuren, als ik het in mijn hoofd kreeg uit te gaan?'

Ik zei, want ik dacht dat dat maar het beste was:

'– Ik zou u niet tegenhouden, maar u zou wel door een inspecteur gevolgd worden.'

'– Bent u van plan de hele nacht hier te blijven?

'– Ik niet. Een van mijn collega's.

'– Speelt u kaart?

'– Zo af en toe.

'– Als we dan eens een partijtje gingen kruisjassen, om de tijd te doden? Dan zijn mijn gedachten tenminste wat afgeleid.'

– Wat ik zeggen wilde, zei Maigret tegen Lucas, jij moest de Quai eens even opbellen. Er moet iemand komen om de wacht voor het huis over te nemen.

Iemand die zich niet zo gemakkelijk laat afschudden.

– Bonfils is er. Dat is de beste voor dat soort werk.

– En laat hij zijn vrouw waarschuwen dat hij vannacht niet thuiskomt. Waar is Lapointe?

– Op de Quai.

– Zeg hem dat hij mij hier komt ophalen. Laat hem bovenkomen en bij jou wachten tot ik terug ben. Kun jij ook kruisjassen, Lucas?

– Ik pas.

– Ik denk dat Aline van jou anders ook wel een bijdrage tot de gezelligheid zal eisen!

Hij klopte op de deur van de slaapkamer, die onmiddellijk openging. Aline had natuurlijk staan luisteren.

– Neem me niet kwalijk dat ik stoor.

– U bent hier thuis, nietwaar? Dat was al eerder zo, maar nu helemaal!

– Ik wilde alleen maar vragen of ik iets voor je doen kan. Je wilt misschien een of meer mensen op de hoogte stellen. De kranten zullen, minstens tot morgen, nergens over schrijven. Wil je, bijvoorbeeld, niet dat ik de gerant van *Le Clou Doré* inlicht? Of de notaris, misschien, of iemand van de familie?

– Manuel had geen familie meer.

– En jijzelf?

– Die familie van mij bekommert zich net zo weinig om mij als ik om hen.

– Als ze wisten, dat jij eigenares was van een huis zoals dit, zouden ze gauw in Parijs zijn, dacht je ook niet?

Hij zag even verrassing in haar blik, maar ze protesteerde niet, vroeg niets.

– Het is morgen nog vroeg genoeg om een begrafenisonderneming op te bellen, want het is nu nog onmogelijk te zeggen wanneer hij weer thuiskomt. Je wilt toch zeker dat hij weer hierheen komt?

– Ja, natuurlijk. Hij heeft hier toch gewoond?

– Ik raad je aan om wat te eten. Ik laat inspecteur Lucas hier, die je kent. Als je me soms nog het een of ander te zeggen mocht hebben, ik ben voorlopig nog hier in huis.

Ditmaal kwam er iets onderzoekends in de blik van de jonge vrouw.

– Hier in huis?

– Ja. Ik heb zin om eens met de huurders kennis te gaan maken.

Ze volgde hem met haar blik terwijl hij Janvier naar huis stuurde.

– En jij laat je vanavond om een uur of acht, negen aflossen, Lucas.

– Ik had met Janvier afgesproken dat hij komen zou, maar ik blijf liever, chef. Ik heb alleen wel graag, dat er een paar sandwiches gebracht worden. En wat bier...

Lucas wees naar de lege flesjes.

– Of er moesten er nog in de ijskast zijn...

Ongeveer twee uur lang was Maigret in het huis bezig. Hij werkte etage voor etage af, belde overal aan, vriendelijk en geduldig, met de koppigheid van een colporteur of een verzekeringsagent.

De mensen op de lijst van de conciërge hielden, de een na de ander, op alleen maar namen voor hem te zijn, het werden gestalten, gezichten, ogen, stemmen, houdingen, menselijke wezens.

De pedicure op de benedenverdieping had evengoed een waarzegster kunnen zijn, met haar bleke gezicht, waarvan men niets zag dan de ogen, heel grote, bijna hypnotische, zwarte ogen.

– Waarom de politie? Ik heb niets kwaads gedaan in mijn leven. Vraagt u het maar aan deze dame hier, die ik al negen jaar behandel.

– Er is iemand gestorven hier in huis.

– Ik heb iemand zien wegdragen, ja, maar ik was bezig. Wie is het?

– Mijnheer Palmari.

– Die ken ik niet. Op welke etage?

– Op de vierde.

– Ik heb wel eens van hem gehoord. Hij heeft een heel knappe vrouw, een beetje gemaakt. Hemzelf heb ik nooit gezien. Was hij nog jong?

Chabaud, de man van de televisie, was er niet. De metrocontroleur was nog niet thuis, maar zijn vrouw wel. Ze had een vriendin op bezoek en de dames zaten met een taartje en een kopje chocola voor zich.

– Wat zou ik u kunnen vertellen? Ik weet niet eens, wie er boven ons hoofd wonen. Als die man nooit uit zijn appartement kwam, is het niet te verwonderen dat ik hem nooit op de trap tegengekomen ben. En mijn man is nog nooit verder geweest dan onze etage. Wat zou hij daar moeten doen, boven?

Er tegenover ook een vrouw, een wieg met een baby, op de grond een klein meisje met blote billetjes, zuigflessen in een sterilisator.

Op de etage daarboven zat miss Tuppler. Ze was lang, fors gebouwd, en had, vanwege de warmte, niets dan een pyjama aan, waarvan het jasje openhing. Ze voelde geen behoefte om dat dicht te knopen.

– Een moord hier in de huis? *How exciting!* Heeft u de... hoe noemt u dat?... de vermoorder gearresteerd?... En uw naam zijn Maigret?... De Maigret van de Quai des Orfèvres?...

Ze liep naar de tafel, greep de fles whisky die daar stond.

– U klinken, zoals Fransen zeggen?

Hij klonk met haar, hoorde haar gekoeterwaal een minuut of tien aan, waarbij hij zich zat af te vragen of ze tenslotte haar jasje niet eens dicht zou doen.

– *Le Clou Doré?*... Neen... Niet geweest... Maar in de States bijna alle nachtclubs van gangsters... Palmari gangster zijn?...

Het was een soort gecomprimeerd Parijs, wat de commissaris op die manier doorliep, met tussen de etages dezelfde animositeiten als men aantreft tussen bepaalde wijken en tussen bepaalde straten.

Bij de Amerikaanse heerste een bohemienachtige wanorde. Bij de rentenier tegenover haar was het een en al netheid en rust, de sfeer had iets zoetelijks en er hing een geur van bonbons en van jam. Een man met sneeuwwit haar zat in een fauteuil te slapen, met een krant op zijn knieën.

– Praat u niet te hard, alstublieft. Hij heeft er zo'n hekel aan om wakker te schrikken. U komt zeker voor een liefdadige instelling?

– Neen. Ik ben van de politie.

De oude dame scheen opgetogen.

– Nee maar! Van de politie! In dit rustige huis! U wilt toch niet zeggen, dat er bij een van de huurders ingebroken is?

Ze glimlachte, met een goedig en vriendelijk gezicht als van een nonnetje.

– Een moord? Is er daarom zo druk in en uit gelopen vanmorgen? Neen, mijnheer, ik ken niemand behalve de conciërge.

De sportleraar op de derde etage was ook niet thuis, maar een jonge vrouw met dikke ogen van de slaap en een deken omgeslagen, kwam opendoen.

– Wat zegt u?... Neen. Ik weet niet wanneer hij thuiskomt. Dit is de eerste keer dat ik hier ben.

– Wanneer heeft u hem ontmoet?

– Gisteravond, of liever vandaag, want het was al over twaalven. In een bar in de Rue de Presbourg. Wat heeft hij gedaan? Het lijkt zo'n keurige jongen.

Het had geen zin verder te vragen. Ze sprak met moeite, want ze had een stevige kater.

Bij de Massoletti's was alleen het meisje thuis, dat hem in slecht Frans meedeelde, dat haar mevrouw naar *Fouquet's* gegaan was, waar haar man ook was en dat ze samen in de stad zouden eten.

Het meubilair was modern en het was er lichter en vrolijker dan in de andere appartementen. Op een divan lag een guitaar.

Fernand Barillard, die op de etage van Palmari woonde, was niet thuis. Een vrouw van een jaar of dertig, met lichtblond haar en gevulde vormen, kwam neuriënd opendoen.

– Hé! Ik ben u al een keer op de trap tegengekomen. Wat verkoopt u?

– Ik ben van de Recherche.

– O, u komt zeker in verband met wat er vanmorgen gebeurd is?

– Hoe weet u, dat er iets gebeurd is?

– Uw collega's hebben lawaai genoeg gemaakt! Ik hoefde de deur maar op een kier open te doen om alles te horen wat ze over het geval zeiden. Tussen twee haakjes, ze hebben wel een rare manier van spreken over een dode, vooral die mannen die het lijk de trap af droegen. Ze deden niets dan lachen en gekheid maken.

– Kende u Manuel Palmari?

– Ik heb hem nooit gezien, maar ik heb hem wel eens horen brullen.

– Brullen? Hoe bedoelt u?

– Hij was vast niet gemakkelijk. Dat kan ik me ook wel begrijpen, want de conciërge heeft me wel eens verteld dat hij invalide was. Hij kon te keer gaan, soms!...

– Tegen Aline?

– Heet ze Aline? Nu, het is in ieder geval een eigenaardig persoontje. In het begin, als ik haar op de trap tegenkwam, knikte ik haar goedendag, maar dan keek ze me aan of ik lucht was. Wat is het voor soort vrouw? Waren ze getrouwd? Heeft zíj hem vermoord?

– Hoe laat gaat uw man naar zijn werk?

– Dat is verschillend. Hij heeft geen vaste uren zoals een kantoorbediende.

– Komt hij tussen de middag altijd thuis?

– Neen, zelden, want hij is meestal in de buitenwijken of in een van de voorsteden. Hij is handelsreiziger.

– Dat weet ik. Hoe laat is hij vanmorgen de deur uitgegaan?

– Dat weet ik niet, want ik ben al vroeg boodschappen gaan doen.

– Wat noemt u vroeg?

– Om een uur of acht. Toen ik thuis kwam, om half tien, was hij niet meer thuis.

– Heeft u uw buurvrouw niet gezien in de winkels?

– Neen. Wij kopen waarschijnlijk niet in dezelfde zaken.

– Bent u al lang getrouwd?

– Acht jaar.

Dozijnen en dozijnen vragen en even zovele antwoorden, die Maigret in zijn geheugen bewaarde. Daaronder waren er misschien enkele, misschien zelfs maar één, die op een gegeven ogenblik een bepaalde betekenis zouden krijgen.

De barkeeper was thuis, want zijn dienst begon pas om zes uur. Het dienstmeisje en de twee jongens waren in het voorste vertrek, dat als speelkamer gebruikt werd. Een der jongens mikte met een speelgoedpistool op de commissaris en riep:

– Pief, paf, poef! U bent dood!

Tony Pasquier, die een zware en donkere baard had, stond zich voor de tweede maal die dag te scheren. Zijn vrouw was bezig een knoop aan een kinderbroekje te zetten.

– Hoe zegt u? Palmari? En zou ik die moeten kennen?

– Dat is uw onderbuurman, of liever, dat was tot vanmorgen uw onderbuurman.

– Is hem soms iets overkomen? Ik kwam een paar agenten tegen op de trap en mijn vrouw vertelde, toen ik om half drie thuiskwam, dat er een lijk uit huis weggedragen was.

– Bent u wel eens in *Le Clou Doré* geweest?

– Neen, zelf ben ik er nooit geweest, maar ik heb er wel eens mensen heen gestuurd.

– Waarom?

– Er zijn soms gasten die ons vragen waar je in een bepaalde wijk goed kunt eten. *Le Clou Doré* heeft een goede naam. Ik sprak vroeger Pernelle nog wel eens, de gerant, die in *Claridge* gewerkt heeft. Een man die zijn vak verstaat.

– Kent u de naam van de eigenaar niet?

– Daar heb ik nooit naar gevraagd.

– En de vrouw, Aline Bauche, heeft u die nooit ontmoet?

– Die vrouw met dat zwarte haar en die nauwsluitende jurken, die ik wel eens op de trap tegenkom?

– Dat is uw huiseigenares.

– Dat is voor het eerst dat ik het hoor. Ik heb haar nooit gesproken. Jij, Lulu?

– Ik mag dat soort niet.

– U ziet het, mijnheer Maigret. Van ons wordt u niet veel wijzer. Misschien heeft u een andere keer meer geluk.

De Engelsman was afwezig. Op de zevende etage

kwam de commissaris in een lange gang, die alleen verlicht werd door een dakraampje. Aan de kant van de binnenplaats een enorme zolder, waar de huurders allerlei dingen opgeborgen hadden. Er stonden, schots en scheef door elkaar, oude koffers, kostuumpoppen, kisten, alles oud en versleten en alleen nog geschikt voor de ouderommelmarkt.

Aan de straatkant een rij deuren, als in een kazerne. Hij begon bij de achterste, die van Yolande, de dienstbode van de oude mensen op de tweede etage. De deur stond open en hij zag een doorzichtig nachthemd op een onopgemaakt bed, een paar sandalen op de grond.

De volgende deur, die van Amélie volgens de plattegrond die Maigret in zijn zakboekje getekend had, was op slot. De deur daarnaast ook.

Toen hij op de vierde deur klopte, hoorde hij een zwakke stem 'Ja!' roepen. Het vertrek stond vol met vogelkooien en in een voltaire bij het raam zag hij een oude vrouw met een vollemaansgezicht zitten.

Hij stond op het punt zich terug te trekken om haar niet in haar gepeinzen te storen. Haar leeftijd was onmogelijk meer te schatten, ze was nog slechts door een dun draadje met deze wereld verbonden en keek de indringer met een gezicht waarover een blijmoedige rust lag, aan.

– Komt u binnen, komt u binnen, mijnheer. Weest u maar niet bang voor mijn vogeltjes.

Men had hem niet verteld, dat er behalve de kanaries ook nog een heel grote papegaai was. Hij zat niet in een kooi, kon zich vrij door de kamer bewegen en zat nu op een kleine schommel, die midden in de kamer stond. Het dier begon te krijsen:

– Coco!... Lieve Coco!... Heb je honger, Coco?...

Hij legde uit dat hij van de politie was, dat er een moord in het huis gepleegd was.

– Ik weet het, mijnheer. De conciërge heeft het me verteld toen ik mijn boodschappen ging doen. Is het niet ongelukkig, om elkaar te vermoorden terwijl het leven zo kort is? Net als met die oorlogen. Mijn vader is in die van 1870 en die van 1914 geweest. Zelf heb ik er ook twee meegemaakt.

– Kende u mijnheer Palmari?

– Neen. Ik ken niemand hier in huis behalve de conciërge, die niet zo kwaad is als ze er uitziet. Ze heeft heel wat meegemaakt, de arme vrouw. Haar man was een losbol, die altijd achter de vrouwen aan zat, en bovendien dronk hij nog.

– Heeft u niemand van de huurders naar deze etage horen komen?

– Dat gebeurt af en toe wel, mensen die iets komen halen of wegzetten op de zolder. Maar ja, u begrijpt wel, met mijn raam dat altijd open staat en mijn vogeltjes die zingen...

– Spreekt u uw buurman wel eens?

– Mijnheer Jef? Je zou denken, als je ons naast elkaar ziet, dat we van dezelfde leeftijd zijn. Maar in werkelijkheid is hij veel jonger dan ik. Hij kan nauwelijks voorbij de zeventig zijn. Dat komt door die verwondingen die hij gehad heeft, dat hij er ouder uitziet. Kent u hem ook? Hij is doofstom en ik vraag me af, of dat nog niet erger is dan blind zijn.

Ze zeggen dat blinden opgewekter zijn dan doven. Of dat waar is? Enfin, dat zal ik gauw genoeg weten, want mijn ogen gaan met de dag achteruit, en ik zou niet kunnen zeggen wat voor gezicht u heeft. Ik zie alleen maar een witte vlek met wat schaduwen. Wilt u niet gaan zitten?

Als laatste de oude man die, toen Maigret binnenkwam, een kinderkrant met strips zat te lezen. Zijn gezicht was overdekt met littekens en zijn linkermondhoek werd door één der littekens iets omhooggetrokken, waardoor het leek of hij permanent glimlachte.

Hij droeg een blauwe bril. In het midden van het vertrek stond een grote tafel van blank hout, die vol lag met allerlei dingen, die Maigret met verwondering gadesloeg: een mecano-bouwdoos, stukjes houtsnijwerk, een stapel oude tijdschriften, boetseerklei, waarvan de oude man een dier gemaakt had, maar wat voor dier was moeilijk uit te maken.

Het ijzeren ledikant leek op een kazernebed, evenals de ruige deken, en aan de muren hingen platen met zonnige stadsgezichten, van Nice, Napels, Istanboel... Ook op de grond lagen stapels tijdschriften.

De man trachtte met zijn handen, die niet beefden ondanks zijn leeftijd, duidelijk te maken dat hij doofstom was, dat hij niets kon zeggen en Maigret maakte op zijn beurt een gebaar van machteloosheid tegen hem. Maar dan beduidde de oude hem dat hij kon liplezen.

– Neemt u me niet kwalijk, dat ik u kom storen. Ik ben van de politie. Kent u soms een van de huurders hier in huis, een zekere mijnheer Palmari?

Maigret wees naar de vloer om hem te doen begrijpen dat Palmari lager woonde, stak dan twee vingers op om aan te geven hoeveel etages lager. De oude Jef schudde van neen. Daarop sprak de commissaris over Aline.

Voorzover hij het kon begrijpen, had de oude man haar wel op de trap ontmoet. Hij beschreef haar op een koddige manier, deed alsof hij aan het boetseren was, vormde met zijn handen, in de ruimte, haar smalle gezicht, haar slanke figuur, de welving van haar boezem, haar heupen.

Toen Maigret weer terugkwam op de vierde etage, had hij het gevoel of hij een hele wereld bezocht had. Hij voelde zich ietwat suf, een beetje droefgeestig. De dood van Manuel, in zijn rolstoel, had maar heel weinig roering teweeggebracht en sommigen, die jarenlang slechts door een wand, een vloer of een plafond van hem gescheiden geleefd hadden, wisten niet eens wie er die morgen onder een dekkleed het huis uitgedragen was.

Lucas zat niet te kaarten. Aline was niet in de zitkamer.

– Ik geloof dat ze slaapt.

De jonge Lapointe zat op hem te wachten, opgetogen dat hij er met de chef op uit mocht.

– Ik heb een wagen genomen. Is dat goed?

– Is er nog bier, Lucas?

– Nog twee flesjes.

– Maak er maar een voor me open. Ik zal je er een half dozijn laten brengen.

Het was zes uur. Er begonnen zich verkeersopstoppingen te vormen in Parijs en een ongeduldige automobilist klaxonneerde driftig, ondanks de verordeningen, onder de ramen van het huis.

4

Le Clou Doré was in de Rue Fontaine, tussen een derderangs cabaret en een lingeriezaak die gespecialiseerd was in bijzonder luxueus damesondergoed, dat de vreemdelingen mee naar huis nemen als herinnering aan het wufte Parijs.

Maigret en Lapointe, die de auto van de Recherche in de Rue Chaptal achtergelaten hadden, liepen langzaam de Rue Fontaine in, waar men tussen de eenvoudige mensen die overdag de straat bevolkten, heel andere figuren begon te zien, de bezoekers van het Parijse nachtleven.

Het was zeven uur. De portier, die iedereen 'Jo de Bokser' noemde, stond nog niet, in zijn blauwe uniform met vergulde tressen, op zijn vaste plaats bij de ingang.

Maigret, die hem met de ogen zocht, kende hem goed. Hij had vroeger inderdaad bokser op de kermis kunnen zijn. In werkelijkheid had hij nog nooit een bokshandschoen aan gehad en hij had de helft van zijn veertigjarige leven in onvrijheid doorgebracht, eerst, als minderjarige, in een tuchtschool, daarna, voor tijden variërend van een half tot twee jaar, in de gevangenis, telkens voor onnozele diefstallen of geweldpleging.

Zijn intelligentie was die van een kind van zes jaar en als hij voor een onverwachte situatie kwam te staan, werd zijn blik onzeker, smekend bijna, zoals van een schooljongen aan wie de onderwijzer een vraag stelt over een les die hij niet geleerd heeft.

Ze zagen hem binnen, waar hij bezig was, in zijn mooie uniform, met een doek de met lichtrood leer beklede banken af te nemen en toen hij de commissaris in het oog kreeg, werd zijn gezicht opeens een masker zonder enige uitdrukking.

De beide kelners waren druk bezig alles in gereedheid te brengen, plaatsten op de tafellakens borden met het monogram van de zaak, glazen, tafelzilver en midden op elk tafeltje twee bloemen in een smal, hoog, kristallen vaasje.

De lampen met de rose kapjes waren nog niet aan, want de zon verguldde het trottoir aan de overkant nog.

De barkeeper, Justin, in wit overhemd met zwarte das, wreef zijn glazen nog eens op en aan de bar met de hoge krukken zat maar één gast, een dikke man, met een rood gezicht, die een groene menthe dronk.

Maigret had de man eerder gezien. Het was een bekend gezicht, maar hij kon hem niet onmiddellijk thuisbrengen. Had hij hem wel eens bij de wedrennen gezien, of hier, of in zijn kamer op de Quai des Orfèvres?

In Montmartre liepen talloze mensen rond met wie hij wel eens te maken had gehad, soms vele jaren geleden, en die dan voor meer of minder lange tijd verdwenen waren, hetzij voor een kuur in Fontevrault of Melun,* hetzij om ergens in de provincie onder te duiken totdat ze vergeten zouden zijn.

– Dag, commissaris. Dag, inspecteur, groette Justin op ongedwongen toon. Als u komt om te eten, bent u wel wat vroeg. Wat mag ik u inschenken?

– Een glas bier graag.

– Hollands, Deens, Duits?

De gerant kwam geluidloos van achter aangelopen. Hij was nagenoeg kaal, met een bleek, ietwat pafferig gezicht en blauwe wallen onder de ogen.

Hij kwam, zonder zichtbare verrastheid of schrik, naar de politiemensen toe, stak Maigret een slappe hand toe, drukte dan die van Lapointe en ging tegen de bar geleund staan. Hij hoefde alleen zijn smoking nog maar aan te trekken om gereed te zijn voor het ontvangen van de gasten.

– Ik had wel verwacht u vandaag hier te zullen zien. Ik verwonderde me er al over dat u nog niet geweest was. En wat zegt u er wel van?

Hij scheen verontrust, maar het kon ook bedroefdheid zijn.

* In beide plaatsen is een strafgevangenis.

– Waarvan?

– Ze hebben hem eindelijk toch te pakken gekregen. Heeft u enig idee wie het gedaan kan hebben? Het nieuws was dus bekend in *Le Clou Doré*, ondanks het feit dat er in de pers niets over Manuels dood gestaan had, dat Aline de hele dag bewaakt was en zij niemand had kunnen opbellen.

Als een van de politiemensen van het XVIIde arrondissement zijn mond voorbijgepraat had, dan zou dat tegen een journalist geweest zijn. En de huurders in het huis schenen geen enkele connectie met de wereld van Montmartre te hebben.

– Hoe laat heb je het gehoord, Jean-Loup?

Want de gerant, die zelf ook als ober in de zaak meewerkte, heette Jean-Loup. De politie had hem niets te verwijten. Hij kwam uit het departement van de Allier en was begonnen als kelner in Vichy. Hij was jong getrouwd, had verscheidene kinderen. Zijn zoon studeerde medicijnen en een van zijn dochters was getrouwd met de eigenaar van een restaurant op de Champs-Elysées. Hij leidde een rustig, maar onbekrompen leven in de villa, die hij in Choisy-le-Roy had laten bouwen.

– Dat weet ik niet, antwoordde hij verwonderd. Waarom vraagt u mij dat? Het is toch algemeen bekend?

– De kranten hebben er niet over geschreven. Probeer het je eens te herinneren. Wist je vanmiddag om één uur al iets?

– Ik geloof het wel, ja. Je hoort zoveel van de gasten! Herinner jij je het nog, Justin?

– Neen. Hier aan de bar heb ik er ook mensen over horen praten.

– Wie?

Maar hier stuitte Maigret op een muur, want een soort erecode verbood de barkeeper namen te noemen. Zelfs al behoorde Pernelle, de gerant, niet tot de onderwereld en leidde hij een volkomen onberispelijk leven, hij was niettemin door een deel van zijn cliëntèle tot zwijgen verplicht.

Le Clou Doré was niet meer de bar van vroeger, waar men bijna uitsluitend zware jongens aantrof, over wie Palmari altijd wel, zonder zich al te veel te laten pressen, geneigd was iets tegen de commissaris los te laten.

Het was nu een restaurant geworden dat uitsluitend door welgestelden bezocht werd. Er kwamen veel vreemdelingen, tegen tien of elf uur 's avonds ook knappe vrouwen, prostituées van het duurdere genre, want men kon er dineren tot middernacht. Er bleven ook nog wel enkele topfiguren uit de onderwereld komen, maar dat waren geen jonge knapen meer die voor iedere inbraak of overval te vinden waren. Het waren mensen met een eigen huis, de meesten met een vrouw en kinderen.

– Ik zou graag willen weten wie er het eerst tegen jullie over gesproken heeft.

En Maigret begon te vissen.

– Was het soms een zekere Massoletti?

Hij was lang genoeg in het huis in de Rue des Acacias geweest om zich de namen van de huurders in het hoofd te kunnen prenten.

– Wat doet hij?

– Auto's... Een Italiaans merk...

– Ken ik niet. Jij, Justin?

– Het is voor het eerst dat ik die naam hoor.

Men voelde dat ze de waarheid spraken.

– Vignon?

Niet het minste vonkje in hun ogen. Ze schudden het hoofd.

– Een sportleraar, een zekere Destouches?

– Volkomen onbekend hier.

– Tony Pasquier?

– Die ken ik, antwoordde Justin.

– Ik ook, zei Pernelle, volijverig. Hij stuurt wel eens mensen hierheen. Hij is tweede barkeeper bij *Claridge*, is het niet? Ik heb hem in maanden niet gezien.

– Heeft hij niet opgebeld vandaag?

– Als hij me opbelt, is het alleen om een gast speciaal aan te bevelen.

– Heb je het nieuws soms van je portier gehoord?

Jo, die het gehoord had, spuwde op de grond met geveinsde verontwaardiging en bromde tussen zijn valse tanden:

– 't Is toch ongelukkig...

– James Stuart, een Engelsman? Ook niet? Fernand Barillard?

Bij iedere naam deden de mannen of ze diep nadachten en schudden dan het hoofd.

– Wie had er, volgens jou, belang bij om Palmari uit de weg te ruimen?

– Het is niet de eerste keer dat ze hem overvallen hebben.

– Maar de twee mannen die hem toen met een stengun bewerkt hebben, zijn neergeschoten. En Palmari kwam de deur niet meer uit. Vertel me eens, Jean-
Loup, wanneer is *Le Clou Doré* in andere handen
overgegaan?

Er vloog een licht rood over het bleke gezicht van
Pernelle.

– Vijf dagen geleden.

– En wie is de tegenwoordige eigenaar?

Hij aarzelde maar een moment. Hij begreep dat
Maigret op de hoogte was en dat het geen zin had
te liegen.

– Ik.

– Van wie heb je de zaak overgenomen?

– Van Aline, natuurlijk.

– Sedert wanneer was Aline de werkelijke eigenares?

– De datum herinner ik me niet meer, maar het is
meer dan twee jaar.

– Is de koopakte voor de notaris gepasseerd?

– Ja zeker. Het is precies volgens de wet gegaan.

– Welke notaris?

– Mr. Desgrières, op de Boulevard Péreire.

– En de prijs?

– Tweehonderdduizend.

– Nieuwe franken toch?

– Natuurlijk.

– Contant betaald?

– In bankbiljetten. We hebben nog een hele tijd nodig gehad om de biljetten te tellen.

– Nam Aline die mee in een tas of een koffertje?

– Dat weet ik niet, want ik ben het eerst wegge-gaan.

– Wist je dat het huis in de Rue des Acacias ook eigendom van Manuels maîtresse is?

De beide mannen kwamen steeds beter op hun gemak.

– Ach, je hoort altijd wel wat vertellen. Kijkt u eens, commissaris, ik ben een fatsoenlijk man, evenals Justin. Wij hebben alle twee een gezin. Doordat het restaurant in Montmartre staat, vindt u onder onze gasten allerlei soorten van mensen. De wet staat ons trouwens niet toe, ze op straat te zetten, tenzij ze volslagen dronken zijn, wat zelden het geval is.

Wij horen zoveel hier, maar wij vergeten het het liefst maar weer zo gauw mogelijk. Nietwaar, Justin?

– Zo is het.

– Ik zou wel eens willen weten, zei de commissaris, op zachtere toon nu, of Aline soms een minnaar had...

Geen van beiden vertrok een spier. Ze zeiden geen ja en geen neen, wat Maigret enigszins verbaasde.

– Ontmoette ze nooit mannen hier?

– Ze dronk zelfs nooit iets hier. Ze kwam regelrecht naar mijn kantoortje op de tussenverdieping en keek als een echte zakenvrouw de rekeningen na voor ze weer verdween met het bedrag dat haar toekwam.

– Vind je het niet vreemd, dat een man zoals Palmari alles wat hij bezat, of althans het grootste deel, op haar naam heeft laten zetten, naar het schijnt?

– Er zijn heel veel winkeliers en zakenmensen, die

hun bezit op naam van hun vrouw zetten, met het oog op een eventuele inbeslagname.

– Maar Palmari was niet getrouwd, wierp Maigret tegen. En hij was vijfendertig jaar ouder dan zij.

– Ik heb daar ook wel over nagedacht. Ziet u, ik geloof dat Manuel smoorverliefd op Aline was. Hij vertrouwde haar volkomen. Hij hield van haar. Ik weet wel bijna zeker, dat hij nooit van een vrouw gehouden heeft voor hij haar leerde kennen. Hij voelde zich onvolwaardig, in zijn rolstoel. Zij was, vanaf het moment dat hij invalide werd, alles voor hem, het enige wezen waardoor hij nog met de buitenwereld verbonden was.

– En zij?

– Voor zover ik erover kan oordelen, hield zij ook van hem. Dat komt bij dat soort vrouwen ook voor. Voordat ze hem leerde kennen, had ze alleen maar mannen ontmoet die haar gebruikten zonder haar als een menselijk wezen te beschouwen. Begrijpt u wat ik bedoel? Die vrouwen zoals Aline zijn gevoeliger dan fatsoenlijke vrouwen voor attenties die iemand hun bewijst, voor vriendelijkheid, en voor het vooruitzicht van een rustig leven.

De dikke man met het rode gezicht aan het andere eind van de toonbank bestelde nog een glas menthe.

– Het komt direct, mijnheer Louis.

En Maigret, fluisterend:

– Wie is die mijnheer Louis?

– Die komt hier geregeld. Zijn achternaam weet ik niet, maar hij komt heel vaak een glas menthe drinken. Ik denk dat hij hier in de buurt woont.

– Is hij hier vandaag al eerder geweest?

– Is hij al eerder geweest vandaag, Justin? herhaalde Pernelle op fluisterende toon.

– Wacht eens... Ik geloof het wel. Ja, hij vroeg me nog, of ik geen tip voor hem had voor de wedrennen.

Mijnheer Louis wiste zijn voorhoofd af en staarde met sombere blik naar zijn glas.

Maigret haalde zijn agenda uit zijn zak, schreef er enkele woorden in, die hij Lapointe liet lezen.

'Volg hem als hij weggaat. Ben hier te bereiken. Als ik er niet meer ben mijn huis bellen.'

– Zeg, Jean-Loup, kunnen we niet een ogenblik naar je kantoortje gaan zolang je nog niet te druk bent?

Dat was een verzoek dat de eigenaar van een restaurant moeilijk kan weigeren.

– Hierheen, alstublieft...

Hij had platvoeten en liep met ietwat waggelende gang, zoals de meeste obers van middelbare leeftijd. De trap was smal en donker. Hier viel niets te bespeuren van de gezelligheid en de luxe van het restaurant. Pernelle haalde een sleutelbos uit zijn zak, opende een bruingeverfde deur en ze traden een klein vertrek binnen, dat uitzag op de binnenplaats.

Het cylinderbureau lag vol stapels prospectussen, rekeningen, briefpapier, pennen en potloden, met daartussen twee telefoontoestellen. Op muurplanken van blank hout stonden rijen groene briefordners en aan de muur daartegenover hingen de ingelijste foto's van mevrouw Pernelle van twintig of dertig jaar geleden, van een jongen van een jaar of twintig en van een jong meisje, dat dromerig met haar kin op haar hand gesteund zat.

– Ga zitten, Jean-Loup, en luister goed. Als we nu eens open kaart met elkaar speelden?

– Ik heb altijd open kaart gespeeld.

– Dat heb je niet en dat weet je heel goed. Dat kun je je ook niet permitteren, want dan zou je nooit eigenaar van *Le Clou Doré* geworden zijn. Om je op je gemak te stellen zal ik je wat vertellen. Dat kan ik rustig doen nu de man in kwestie er toch niet meer is.

Toen Manuel twintig jaar geleden dit restaurant kocht, dat toen nog maar een klein kroegje was, ging ik af en toe 's morgens een glas bier bij hem drinken, op de tijd waarop het zo goed als zeker was dat ik hem alleen zou aantreffen

Hij belde me ook wel eens op of kwam even bij mij binnenlopen op de Quai des Orfèvres.

– En dan gaf hij u tips? zei Pernelle zonder al te veel verrassing.

– Had je dat wel vermoed?

– Ik weet het niet. Misschien. Dat is zeker de reden waarom ze drie jaar geleden op hem geschoten hebben?

– Het is mogelijk. Maar Manuel was een sluwe vos. Want hij mocht me dan af en toe eens inlichtingen geven over minder belangrijke figuren, zelf hield hij zich ondertussen bezig met heel grote zaken en hij paste wel op dat hij daar geen woord over losliet.

– Zal ik niet een fles champagne boven laten brengen?

– Neen, dank je. Dat is zowat de enige drank waar ik niet van houd.

– Bier dan?

– Op het ogenblik niets.

Pernelle zat zichtbaar op hete kolen.

– Manuel was bijzonder geslepen, ging Maigret verder, de ander onafgebroken strak aanziend. Zo geslepen, dat ik nooit een bewijs tegen hem heb kunnen vinden. Hij wist, dat ik de waarheid wist, tenminste een groot deel daarvan. Hij gaf zich niet de moeite te ontkennen. Hij keek me rustig aan, met een tikkeltje ironie en als hij niet anders kon, leverde hij mij een van zijn onbelangrijke handlangers uit.

– Ik begrijp het niet...

– Jawel!

– Wat bedoelt u? Ik heb nooit voor Manuel gewerkt, behalve hier, eerst als ober en later als gerant.

– Maar vanmiddag om twaalf uur wist jij al wat er met hem gebeurd was. Zoals je zelf al zei, aan een bar of in een restaurant hoor je heel wat. Wat denk jij, Jean-Loup, van die juwelendiefstallen?

– Wel, wat de kranten ook schrijven: jonge knapen, beginnelingen nog, die tenslotte allemaal gepakt worden.

– Neen.

– Ze schrijven ook over een oudere, die op het moment van de overvallen in de buurt zou staan om in te kunnen grijpen als er iets mis gaat.

– En verder?

– Niets. Ik weet verder ook niets, op mijn erewoord!

– Zo. Nu, dan wil ik je er wel iets meer over vertellen, ofschoon ik er wel zeker van ben dat ik jou niets nieuws vertel. Wat is het voornaamste risico dat juwelendieven lopen?

– Dat ze tegen de lamp lopen.

– Ja, natuurlijk. Maar hoe?

– Bij het van de hand doen van de buit.

– Juist! Nu beginnen we er te komen. Alle stenen van een zekere waarde hebben zoiets als een burgerlijke stand en de vakmensen kennen die. Zodra er een roof gepleegd is, wordt er een uitvoerige beschrijving van de sieraden doorgegeven, niet alleen in Frankrijk, maar ook in het buitenland.

Een heler, als de dieven die weten te vinden, zal voor de buit maar tien of vijftien procent van de waarde geven. Wanneer hij de stenen een of twee jaar later in de circulatie brengt, worden ze praktisch altijd door de politie achterhaald. Dan hebben ze een draad in handen en is de rest niet zo moeilijk meer. Ben je dat met me eens?

– Het zal wel zo zijn, ja. U heeft meer ervaring dan ik.

– Welnu, jarenlang verdwijnen er geregeld sieraden door overvallen en inbraken in etalages, zonder dat er ooit een spoor van de kerels gevonden wordt. Waar wijst dat op?

– Hoe zou ik dat weten?

– Kom nu, Jean-Loup. Als je dertig of veertig jaar in dat vak van jou zit, dan ben je heus wel op de hoogte van die dingen, ook al doe je er zelf niet áan mee.

– Ik zit nog niet zolang in Montmartre...

– De eerste voorzorg is niet alleen de stenen uit de montuur te nemen maar ook ze een andere vorm te geven, wat de medeplichtigheid van een diamantslijper vereist. Ken jíj diamantslijpers?

– Neen.

– Er zijn maar weinig mensen die er een kennen, om de eenvoudige reden dat er maar zo weinig zijn, niet alleen in Frankrijk, maar in de hele wereld. In Parijs zijn er niet meer dan een stuk of vijftig, waarvan de meeste in de Marais wonen, in de omgeving van de Rue des Francs-Bourgeois, en ze vormen een klein wereldje op zichzelf. Bovendien staan ze in zekere zin onder toezicht van de makelaars, diamanthandelaars en grote juweliers voor wie ze werken.

– Daar had ik niet aan gedacht...

– Kom nou!...

Er werd geklopt. Het was de barkeeper, die Maigret een stukje papier toestak.

– Dit is zojuist voor u gebracht.

– Door wie?

– Door de kelner van het café op de hoek.

Lapointe had met potlood op een blaadje uit zijn zakboekje geschreven:

'Hij is naar de cel gegaan om te telefoneren. Ik heb door de ruit gezien dat hij Etoile 4239 draaide. Ben niet zeker van het laatste cijfer. Hij zit in een hoekje een krant te lezen. Ik blijf.'

– Mag ik even een van deze toestellen gebruiken? Zeg, waarom heb je eigenlijk twee lijnen?

– Ik heb er maar een. Dat andere heeft alleen maar verbinding met het restaurant.

– Ja?... Met Inlichtingen?... Met commissaris Maigret, van de Centrale Recherche. Ik zou graag willen weten wie abonné Etoile 4239 is. Van het laatste cijfer ben ik niet helemaal zeker. Wilt u zo vriendelijk zijn mij hier terug te bellen? Het is dringend.

– Nu zou ik wel graag een glas bier hebben, zei hij tegen Pernelle.

– Ben je er zeker van dat je niets meer van die mijnheer Louis weet dan wat je me verteld hebt?

Pernelle aarzelde, want hij besefte dat de zaak ernstig begon te worden.

– Ik ken hem niet persoonlijk. Ik zie hem geregeld aan de bar zitten. Ik bedien hem wel eens als Justin er niet is en dan maak ik wel eens een praatje met hem over het weer.

– Heeft hij nooit iemand bij zich?

– Zelden. Ik heb hem wel eens met een paar jongelui gezien en ik heb me zelfs wel eens afgevraagd of het soms een homo was.

– Ken je zijn achternaam niet, of zijn adres?

– Ik heb hem altijd, met een zeker respect, 'mijnheer Louis' horen noemen. Hij moet hier in de buurt wonen, want hij komt altijd te voet...

De telefoon ging. Maigret nam de hoorn op.

– Met commissaris Maigret? Ik geloof wel dat ik heb wat u zoekt, zei de juffrouw van de inlichtingendienst. Etoile 4239 heeft zijn abonnement zes maanden geleden opgezegd wegens vertrek naar het buitenland. Abonné Etoile 4238 heet Fernand Barillard en woont...

Dat wist de commissaris al. De vertegenwoordiger in luxe verpakkingsmateriaal die op dezelfde etage als Palmari woonde!

– Dank u wel, juffrouw!

– Wilt u de nummers daarvóor niet hebben?

– Ach ja, voor alle securiteit...

Namen en adressen waren hem onbekend. Maigret stond moeizaam op, want hij was slaperig door de warmte en de vermoeiende dag.

– Denk nog eens na over wat ik gezegd heb, Jean-Loup. Nu je een eigen zaak hebt en een zaak die goed loopt, zou het vervelend zijn als je moeilijkheden kreeg, nietwaar? Ik heb idee dat ik je wel gauw weer zal zien. Een raad: praat niet te veel, ook niet per telefoon, over het gesprek dat we gehad hebben. Wat ik zeggen wil, luxe verpakkingsmateriaal, zegt je dat wat?

De nieuwe eigenaar van *Le Clou Doré* keek hem aan met een verbazing die niet geveinsd was.

– Ik begrijp niet wat u bedoelt.

– Sommige papierwarenfabrieken zijn gespecialiseerd in dozen voor chocolaatjes, bonbonzakjes, etc. En onder dat 'etc.' vallen ook doosjes waarin sieraden afgeleverd worden...

Hij daalde de donkere, niet erg schone trap af, liep het restaurant door, waar nu een man en een vrouw in een hoekje zaten en vier lichtelijk aangeschoten heren zaten te dineren.

Hij liep de straat uit tot het café op de hoek, zag Lapointe heel braaf achter een aperitief zitten en, in een hoek, mijnheer Louis, die een avondblad zat te lezen. Ze zagen hem geen van beiden en enkele ogenblikken later stapte de commissaris in een taxi.

– Rue des Acacias, hoek Rue de l'Arc-de-Triomphe. De lucht begon een rode gloed te krijgen, die de gezichten van de voorbijgangers kleurde. Er was geen zuchtje wind en Maigret voelde zijn hemd aan zijn lichaam plakken. Tijdens de rit viel hij bijna in slaap en misschien was hij ook werkelijk wel ingedommeld, want hij schrok toen de chauffeur zei:

– We zijn er, chef.

Hij liet zijn blik omhoog gaan langs het huis met zijn gevel van lichte baksteen en de lijsten van witte steen om de vensters, en dat omstreeks 1910 gebouwd moest zijn. De lift bracht hem naar de vierde etage en hij had bijna, door de macht der gewoonte, aan de linkerdeur aangebeld.

Voor de rechterdeur moest hij geruime tijd wachten en tenslotte werd hem opengedaan door de blonde vrouw die hij 's middags ondervraagd had. Ze had haar mond vol en een servet in haar hand.

– Bent u daar weer? zei ze, zonder wrevel, alleen maar verbaasd. We zitten aan tafel, mijn man en ik.

– Ik zou hem graag heel even spreken.

– Komt u binnen.

De zitkamer leek op die aan de andere kant van de trap, maar was minder luxueus, met een gewoner vloerkleed. Dan kwam men, niet in een klein kamertje zoals bij Palmari, maar in een gezellige eetkamer met rustieke meubelen.

– Dit is commissaris Maigret, Fernand.

Een man van omstreeks veertig jaar, met een donkere snor, stond op, ook met zijn servet in de hand. Hij had zijn colbertje uitgetrokken, zijn das losgeknoopt, het boord van zijn overhemd opengemaakt.

– Zeer vereerd, mompelde hij, terwijl hij beurtelings van zijn vrouw naar de bezoeker keek.

– De commissaris is vanmiddag al geweest. Ik heb nog geen tijd gehad om het je te vertellen. Hij is het hele huis doorgeweest en heeft overal aangebeld, in verband met het overlijden van een van de huurders.

– Eet u rustig verder, zei Maigret. Ik heb alle tijd.

Er stond een kalfsrollade op tafel en noedels met tomaten. Het echtpaar ging, niet zonder een zekere gedwongenheid, weer zitten, terwijl de commissaris aan het eind van de tafel ging zitten.

– U wilt wel een glas wijn?

De karaf met witte wijn, die uit de ijskast kwam, was helemaal beslagen en Maigret kon de verleiding niet weerstaan. Hij had er geen spijt van, want het was een heerlijke wijn uit Sancerre, droog en fruitig tegelijk, die zeker niet bij de kruidenier gekocht was. Er viel een ietwat pijnlijke stilte, toen de Barillards onder de verstrooide blik van hun bezoeker hun maaltijd hervatten.

– Alles wat ik de commissaris heb kunnen zeggen, was dat wij die Palmari niet kenden. Wat mij aangaat, ik heb hem nooit ontmoet en tot vanmorgen had ik zijn naam zelfs nog nooit gehoord. Wat die vrouw betreft...

Haar man, die slank en gespierd was, met een knap gezicht, was van het soort dat altijd succes heeft bij

de vrouwen; hij had een zinnelijke mond en hagel-
witte tanden, die bij het geringste glimlachje zichtbaar werden.

– Ken jíj ze?

– Neen. Maar laat de commissaris spreken, liefje.
Vertelt u het eens, mijnheer Maigret.

Er was een zekere ironie in zijn blik en men voelde
een nauwelijks verholen agressiviteit bij hem. Hij
was het type van de knappe man, vol zelfverzekerdheid, die spoedig geneigd is tot ruzie maken en niet
twijfelt aan zijn charme en zijn kracht.

– Neen, neen, eet u eerst maar af. Heeft u veel mensen bezocht vandaag?

– Ik heb vandaag de Lilaswijk gedaan.

– Met de auto?

– Natuurlijk. Ik heb een Peugeot 404, die me uitstekend bevalt en die een degelijke indruk bij de mensen maakt. En dat is heel belangrijk, in mijn vak.

– U neemt dan zeker een koffer met monsters mee?

– Natuurlijk, zoals al mijn collega's.

– Als u klaar bent met uw dessert, had ik wel graag
dat u mij die even liet zien.

– Dat is een nogal vreemde nieuwsgierigheid, vindt
u zelf ook niet?

– Dat hangt ervan af, op welk standpunt men zich
plaatst.

– Mag ik u eens vragen: heeft u de mensen op de andere etages ook dergelijke verzoeken gedaan?

– Nog niet, mijnheer Barillard. Ik moet erbij zeggen, dat u het recht heeft om niet aan mijn verzoek
te voldoen, maar in dat geval zal ik een rechter-com-

missaris opbellen voor een bevelschrift tot huiszoeking en, desnoods, tot aanhouding. Of heeft u misschien liever dat we dit onderhoud voortzetten in mijn kamer op de Quai des Orfèvres?

Het ontging Maigret niet, dat de houding van mevrouw Barillard heel anders was dan die van haar man. Ze keek met grote ogen van de een naar de ander, in stomme verbazing over de wending die het gesprek plotseling nam, over de spanning die er opeens tussen de beide mannen was en die zij niet in het minst verwacht had. Ze legde haar hand op die van haar man en vroeg:

– Wat is er aan de hand, Fernand?

– Niets, meisje. Schrik maar niet. Straks biedt de commissaris mij zijn excuses aan. Als er een misdaad gepleegd is en de politie weet er geen raad mee, dan heeft ze altijd de neiging nerveus te worden.

– Iets minder dan een uur geleden is er naar hier opgebeld. Was dat voor u, mevrouw?

Ze wendde zich naar haar man, als om hem te vragen wat ze moest antwoorden, maar hij zag het niet want hij keek naar Maigret. Hij scheen de kracht van zijn tegenstander te schatten, te raden hoe ver deze hoopte te komen.

– Dat was voor mij.

– Was het een vriend van u?

– Een klant.

– Een chocolaterie? Een banketbakkerij? Een parfumeriezaak? Want dat zijn toch uw klanten, is het niet?

– U bent goed op de hoogte.

– Of was het soms een juwelier? Mag ik u verzoeken mij de naam te noemen, mijnheer Barillard?

– Het spijt me, maar die heb ik niet onthouden. Het was niets belangrijks.

– O, neen? Vreemd, voor een klant die 's avonds opbelt. Wat wilde hij dan van u?

– Een prijscourant.

– Kent u mijnheer Louis al lang?

Deze pijl trof doel. De knappe Fernand fronste zijn wenkbrauwen en zelfs zijn vrouw merkte op, dat hij opeens minder op zijn gemak was.

– Ik ken geen mijnheer Louis. Maar als u het absoluut nodig vindt dit onderhoud voort te zetten, laten we dan naar mijn kamer gaan. Het is een van mijn principes om de vrouwen buiten de zaken te houden.

– De vrouwen?

– Mijn vrouw dan, als u dat liever heeft. Je vindt het wel goed, liefje?

Hij ging hem voor naar een klein vertrek van dezelfde afmetingen ongeveer als het kamertje van Palmari. Het was gezellig ingericht. Daar de vensters op de binnenplaats uitzagen, was het er donkerder dan in de andere kamers en Barillard draaide de lampen aan.

– Zo, nu kunnen we verder praten, want dat schijnt noodzakelijk te zijn. Gaat u zitten, als u dat wilt.

– U heeft zojuist iets gezegd dat ik nogal vermakelijk vond.

– Het was anders niet mijn bedoeling u te vermaken, neemt u dat maar van mij aan. We hadden afgesproken, mijn vrouw en ik, naar de bioscoop te gaan vanavond en nu zullen we door uw schuld het begin van de film nog missen. Wat heb ik dan voor grappigs gezegd?

– Dat het een van uw principes was de vrouwen buiten de zaken te houden.

– Ik ben heus de enige niet die er zo over denkt.

– Daar kom ik straks nog wel op terug. Voor wat uw eigen vrouw betreft wil ik u graag geloven. Bent u al lang getrouwd?

– Acht jaar.

– Deed u toen al hetzelfde werk als nu?

– Ongeveer.

– Wat is het verschil dan?

– Ik werkte toen bij de produktie, op een kartonnage-fabriek in Fontenay-au-Bois.

– En woonde u al hier?

– Neen, in Fontenay, in een landhuisje.

– Mag ik nu dan die monsterkoffer eens zien?

Die stond op de grond, naast de deur, en Barillard zette hem met tegenzin op het bureau.

– De sleutel?

– Hij is niet op slot.

Maigret deed hem open en tussen de verschillende soorten dozen en doosjes die bijna allemaal zeer smaakvol uitgevoerd waren, bevonden zich ook, zoals hij wel verwacht had, doosjes voor horloges en sieraden zoals die in juwelierszaken gebruikt worden.

– Hoeveel juwelierszaken heeft u vandaag bezocht?

– Dat weet ik niet. Drie of vier. De horlogers en de

juweliers vormen maar een deel van onze cliëntèle.

– Houdt u geen aantekening van de zaken die u bezoekt?

Fernand Barillard fronste voor de tweede maal zijn wenkbrauwen.

– Dat is mijn aard niet, om alles wat ik doe in een boekje op te schrijven. Ik noteer alleen de bestellingen.

– Maar als u die bestellingen aan uw firma doorgeeft, houdt u daar toch zeker zelf wel een copie van?

– Misschien dat anderen dat zo zouden doen, maar ik kan de zaken rustig aan de mensen op ons kantoor overlaten. Ik haal me zo weinig mogelijk paperassen op de hals.

– Zodat u mij ook onmogelijk een lijst van uw cliënten kunt laten zien?

– Dat is inderdaad onmogelijk.

– Voor welke firma werkt u?

– Gelot en Zoon, op de Avenue des Gobelins.

– Hun boekhouding zal wel beter zijn dan de uwe. Ik zal daar morgen eens op bezoek gaan.

– Zoudt u mij nu eindelijk eens willen zeggen, waar u eigenlijk heen wilt?

– Eerst nog een vraag. U beweert dat u de vrouwen altijd buiten uw zaken houdt, nietwaar?

Barillard stak een sigaret op, haalde de schouders op.

– Zelfs wanneer die vrouw Aline heet en op dezelfde etage als u woont?

– Ik wist niet dat ze Aline heette.

– Maar u begreep toch direct wie ik bedoelde.

– Er zijn maar twee appartementen op onze etage en daar woont, voorzover mij bekend is, maar één vrouw. Ik ben haar wel eens op de trap tegengekomen of tegelijk met haar in de lift naar boven gegaan. Dan nam ik natuurlijk mijn hoed voor haar af, maar ik herinner me niet, dat ik ooit met haar gesproken heb. Hoogstens kan ik wel eens tegen haar gezegd hebben als ik de liftdeur voor haar openhield: '– Gaat uw gang...'

– Is uw vrouw op de hoogte?

– Waarvan?

– Van alles. Van uw werk. Van uw verschillende activiteiten. Van uw relaties met mijnheer Louis.

– Ik heb u al gezegd, dat ik geen mijnheer Louis ken.

– Maar een uur geleden heeft hij u telefonisch gewaarschuwd dat ik bezig was inlichtingen in te winnen in de Rue Fontaine en hij heeft u gedeeltelijk mijn gesprek met de eigenaar van *Le Clou Doré* en de barkeeper overgebracht.

– Wat wilt u eigenlijk dat ik daarop zeg?

– Niets. *Ik* spreek, zoals u ziet. Er zijn gevallen, mijnheer Barillard, waarin het beter is zijn kaarten voor de tegenstander open te leggen. Ik had kunnen wachten tot ik bij de directeur van uw firma geweest was en de boekhouder ondervraagd had. Ze kunnen onmogelijk vóór morgen vervalsingen in de boeken aanbrengen om u uit de moeilijkheden te redden. En u weet heel goed wat ik daar zal vinden.

– Namen ja, en adressen en getallen. Zoveel dozen model 'Pompadour' à 150 franc per dozijn. Zoveel...

– Zoveel juweliersdoosjes à zoveel francs per dozijn of per honderd.

– Nu, en wat dan nog?

– U moet weten, mijnheer Barillard, dat ik ook een lijst heb, een lijst van juwelierswinkels in Parijs en omgeving, waar in de loop van de laatste paar jaar voor grote bedragen aan sieraden gestolen zijn, door middel van overvallen of zoals in de laatste tijd, door het inslaan van etalageruiten met een bandafnemer.

Begint u het nu te begrijpen? Ik ben er zo goed als zeker van dat ik op de lijst van uw cliënten die de firma Gelot en Zoon mij verschaffen zal, praktisch alle namen van mijn eigen lijst zal terugvinden.

– En als dat zo was? Gegeven het feit dat ik de meeste juwelierswinkels van dit rayon bezoek, behalve de heel dure zaken, die alleen maar etuis van maroquinleer gebruiken, is het normaal, dat...

– Ik geloof niet dat de rechter-commissaris die met de zaak Palmari belast is, er ook zo over zal denken.

– Omdat die buurman van mij ook in sieraden deed?

– Op zijn manier, ja. En sedert de drie jaar dat hij invalide is, door bemiddeling van een vrouw.

– Vroeg u mij daarom zoëven of...

– Juist. En nu vraag ik u, of u de minnaar van Aline Bauche bent en sedert hoe lang.

De reactie van de man was zuiver instinctief. Hij wierp automatisch een blik op de deur, sloop er dan op zijn tenen heen, deed hem open op een kier om te zien of zijn vrouw niet stond te luisteren.

– Als u in de eetkamer zo tegen mij gesproken had, geloof ik dat ik u in uw gezicht geslagen zou hebben. Al bent u honderdmaal van de politie, u heeft niet het recht een man tegenover zijn vrouw verdacht te maken.

– U heeft mij geen antwoord gegeven.

– Dat antwoord is: neen!

– En u kent nog steeds geen mijnheer Louis?

– En ik ken geen mijnheer Louis.

– Mag ik even?...

Maigret strekte zijn hand uit naar het telefoontoestel, draaide het nummer van Palmari, herkende de stem van Lucas.

– Wat voert de juffrouw uit op het ogenblik?

– Ze heeft een poosje geslapen en daarna heeft ze eindelijk wat gegeten, een schijf ham en een ei, geloof ik. Ze begint nerveus te worden, ze loopt door de kamers heen en weer en iedere keer als ze langs mij voorbijkomt kijkt ze me aan of ze me vermoorden wil.

– Heeft ze niet geprobeerd te telefoneren?

– Die kans krijgt ze niet, want ik kijk haar voortdurend op de vingers.

– Is er niemand geweest?

– Neen, niemand.

– Dank je. Ik kom over een paar minuten. Wil jij in die tijd even de Quai opbellen en vragen of ze nog iemand willen sturen? Hierheen, ja. Ja, ik weet dat Bonfils beneden is, maar ik heb nog iemand nodig. Zeg hem in de eerste plaats, dat hij met een wagen komt. Die moet hij hier voor het huis zetten en dan de deur in het oog houden.

Hij moet namelijk iemand schaduwen wanneer die iemand op het idee zou komen om alleen, of samen met zijn vrouw, de deur uit te gaan. Het gaat om een zekere Fernand Barillard, een vertegenwoordiger, die het appartement bewoont naast dat waar jij op het ogenblik bent.

Daar ben ik nu, ja. En geef opdracht dat ze meeluisteren wanneer hij soms mocht telefoneren.

Signalement van Barillard: veertig jaar ongeveer, een meter vijfenzeventig lang, dik donker haar, zwart snorretje, goed gekleed, het type man dat bij vrouwen in de smaak valt. Zijn vrouw, als die erbij mocht zijn, is een jaar of tien jonger, blond, aantrekkelijk, aan de dikke kant.

Ik blijf hier tot onze inspecteur komt. Tot zo, kerel.

De vertegenwoordiger zat hem gedurende het gesprek met blikken vol haat aan te kijken.

– Ik veronderstel, vroeg Maigret op bijna suikerzoete toon, dat u mij nog steeds niets te zeggen heeft?

– Absoluut niets.

– Het zal een minuut of tien duren voor mijn inspecteur hier is. Tot zo lang zal ik u gezelschap houden.

– Zoals u wilt.

Barillard ging in een leren fauteuil zitten, nam een tijdschrift van een tafeltje, deed of hij zich in zijn lectuur verdiepte. Maigret stond op en begon het vertrek te inspecteren, las de titels van de boeken in de boekenkast, beurde een presse-papier op, trok de laden van het bureau een eindje open.

Het waren lange minuten voor de vertegenwoordiger. Af en toe wierp hij een blik over zijn tijdschrift naar die logge, rustige man die de hele kamer met zijn massa scheen te vullen, hem onder zijn gewicht scheen te verpletteren, en wiens gezicht niets van zijn gedachten verried.

Van tijd tot tijd haalde de commissaris zijn horloge tevoorschijn, want hij had nooit aan een polshorloge kunnen wennen en hij droeg altijd, als een kostbaar bezit, het gouden horloge met binnenkas bij zich dat hij van zijn vader geërfd had.

– Nog vier minuten, mijnheer Barillard.

Deze deed zijn best om zijn houding van ijskoude onbewogenheid te bewaren, maar zijn handen begonnen zijn ergernis te verraden.

– Nog drie minuten.

Het kostte steeds meer moeite zich in te houden.

– Zo dan! Ik wens u een goede nacht, en tot ons volgende onderhoud, dat naar ik hoop even hartelijk zal zijn als dit.

Maigret verliet het vertrek en vond in de eetkamer de jonge vrouw, met behuilde ogen.

– Mijn man heeft toch geen kwaad gedaan, commissaris?

– Dat moet u aan hemzelf vragen, mevrouwtje. Ik hoop het voor u.

– Al lijkt het niet zo, het is een heel zachte en hartelijke man. Hij kan soms verschrikkelijk opvliegen, dat is zijn aard, maar hij is dan altijd de eerste die spijt heeft van zijn uitbarstingen.

– Goedenavond, mevrouw.

Ze liet hem uit, met ongeruste ogen, en keek hem na terwijl hij, niet naar de lift, maar naar de deur van het andere appartement liep.

5

Aline deed hem open. Ze was zeer gespannen, haar blik was strak, grimmig, en ze had diepe kringen onder de ogen. Maigret daarentegen was de kalmte in persoon. Voor hij aanbelde had hij zijn gezicht in die goedmoedige, ietwat onnozele plooi gezet, die zijn inspecteurs zo goed kenden maar waar zij zich niet meer door lieten foppen.

– Ik wilde niet weggaan zonder je nog even een goede nacht gewenst te hebben.

Lucas, die in een fauteuil zat, legde het tijdschrift dat hij aan het lezen was, op het tapijt en kwam langzaam overeind. Het was niet moeilijk te raden, dat de verstandhouding tussen de twee personen, die sedert een paar uur in het appartement opgesloten gezeten hadden en er ook samen de nacht zouden doorbrengen, niet bijzonder hartelijk was.

– Zou je er niet beter aan doen met naar bed te gaan, Aline? Je hebt een dag vol emoties achter de rug. Ik vrees dat de dag van morgen even moeilijk voor je zal zijn, zo niet moeilijker nog. Heb je geen slaapmiddel of iets kalmerends in huis?

Ze sloeg hem gade met een harde blik, trachtte te raden wat er schuilging achter dat masker van vriendelijkheid en bezorgdheid, en de onverstoorbare kalmte van de commissaris maakte haar razend.

– Ik heb zelf ook een vermoeiende dag gehad. Ik ben een heleboel wijzer geworden sedert vanmorgen, maar ik moet eerst nog enkele dingen nagaan voor ik over mijn ontdekkingen met je ga praten. O ja, dat is waar, ik heb vanavond nog kennis gemaakt met een heel interessant iemand, met je buurman hier op deze etage.

Ik had me eerst in hem vergist, bleek het. Ik dacht namelijk dat het een gewone vertegenwoordiger was in luxe-dozen voor bonbons en zo. Maar het is me gebleken dat zijn arbeidsterrein veel uitgebreider is. Met name juwelen en sieraden schijnen daar een belangrijk deel van uit te maken...

Hij zweeg een ogenblik, stopte met een dromerig gezicht zijn pijp.

– Met dat al heb ik nog steeds niet gegeten. Ik hoop dat mijnheer Louis geduld genoeg gehad heeft om op mij te wachten in *Le Clou Doré* en dat we samen kunnen dineren.

Opnieuw een stilte. Hij drukte, met het karakteristieke gebaar van zijn wijsvinger, de tabak in zijn pijp aan, trok een draadje weg dat buiten de kop hing, streek eindelijk een lucifer aan, terwijl Aline zijn overdreven zorgvuldige bewegingen met toenemende ergernis gadesloeg.

– Een knappe man, die Fernand Barillard. Het zou me verwonderen als hij met één vrouw tevreden was, vooral omdat zijn vrouw te weinig temperament heeft, lijkt me, voor een man zoals hij. Wat vind jij daarvan, Aline?

– Ik ken hem niet.

– Ach neen, de eigenares van zo'n groot huis kan natuurlijk niet al haar huurders goed kennen. Vooral omdat je wellicht nog meer huizen bezit dan dit.

Maar dat hoor ik morgen wel van notaris Desquières, met wie ik een afspraak gemaakt heb. Deze zaak is zo ingewikkeld, Aline, dat ik af en toe het gevoel heb dat ik geen enkele grond meer onder mijn voeten heb.

Ik heb voor alle zekerheid een inspecteur beneden gezet voor het geval Barillard zin mocht krijgen de deur uit te gaan. En zijn telefoongesprekken worden van nu af aan afgeluisterd, net als de jouwe.

Je ziet hoe goed ik het met je meen: ik vertel je alles. Jij hebt mij zeker niets te vertellen?

Ze liep met korte, driftige stappen naar de slaapkamer en gooide de deur met een slag achter zich dicht.

– Is dat waar, chef, wat u zojuist allemaal gezegd heeft?

– Ongeveer wel, ja. Doe jij je best om niet in slaap te vallen? Zet maar net zoveel sterke koffie als je nodig hebt en als er iets gebeurt, wat het ook is, bel me dan op de Boulevard Richard-Lenoir op. Ik weet niet hoe laat ik daar zijn zal, maar ik ben in ieder geval van plan vannacht te slapen.

In plaats van de lift te nemen liep hij langzaam de trap af, waarbij hij zich, bij iedere deur waar hij langs kwam, het leven van de huurders trachtte voor te stellen. Sommigen keken naar de televisie en men hoorde in verscheidene appartementen dezelfde stemmen, dezelfde muziek. Bij Mabel Tuppler waren een of twee paren aan het dansen, naar hij uit het geluid van schuifelende voeten opmaakte.

Inspecteur Lagrume zat te soezen achter het stuurrad van een wagen van de Recherche en Maigret drukte hem verstrooid de hand.

– Heeft u geen auto, chef?

– Ik vind wel een taxi in de Avenue de la Grande-Armée. Heb je je instructies?

– Die knaap volgen, Fernand Barillard.

Maigret voelde zich minder zorgeloos en blij dan toen hij 's morgens in zijn appartement, waar de zon tot in alle hoeken doordrong, wakker geworden was of toen hij op het achterbalkon van de bus stond en gretig de kleurige beelden van Parijs, als de bladzijden van een prentenboek, in zich opnam.

De prefect zou stellig maar weinig waardering gehad hebben voor alles wat Maigret die dag, geleid door zijn instinct, gedaan had en de kleine rechter zou, ondanks zijn bewondering voor de commissaris, ongetwijfeld de wenkbrauwen gefronst hebben.

Alvorens Fernand Barillard te gaan ondervragen, bijvoorbeeld, had Maigret eerst zo veel mogelijk inlichtingen over hem moeten verzamelen, een dossier moeten samenstellen, zwart op wit de datums moeten hebben die hij zeker was bij Gelot en Zoon te zullen vinden, evenals de gegevens die mr. Desquières hem had kunnen verschaffen.

Maar hij had er de voorkeur aan gegeven de vertegenwoordiger bang te maken, in ongerustheid te laten zitten, hem in een defensieve positie te dringen, zonder voor hem verborgen te houden – integendeel! – dat hij nauwlettend bewaakt werd.

Hij had er een ogenblik over gedacht, niets tegen Aline te zeggen om haar dan de volgende dag onverwachts met haar buurman te confronteren en haar reacties te bespieden.

Maar hij had tenslotte de andere weg gekozen en zij wist van nu af aan, dat hij overtuigd was van het bestaan van betrekkingen tussen haar en de vertegenwoordiger in luxe-dozen.

Beiden werden ze bewaakt. Ze konden elkaar niet ontmoeten en ook niet opbellen. Evenmin konden ze de deur uitgaan zonder gevolgd te worden.

Zouden ze, onder die omstandigheden, rustig slapen die nacht? Met mijnheer Louis had Maigret op dezelfde wijze gehandeld, door hem er niet over in het onzekere te laten, dat zijn doen en laten van nu af aan door de politie gadegeslagen werd.

Het was vooralsnog onmogelijk vast te stellen, welke betrekking er tussen deze drie personen bestond. Het enige wat ze alle drie gemeen hadden, was hun ongerustheid, die Maigret, bij elk van de drie, zo groot mogelijk trachtte te maken.

– Naar *Le Clou Doré*, in de Rue Fontaine.

Daar had hij ook zijn kaarten op tafel gelegd, voor het grootste deel althans. En aangezien hij toch ergens moest eten, kon hij dat net zo goed doen, vond hij, in het restaurant, dat zolang het eigendom van Palmari geweest was voor hij het op Alines naam gezet en daarna aan Pernelle verkocht had.

Hij had niet verwacht dat het er zo levendig, zo druk zou zijn. Bijna alle tafeltjes waren bezet en men hoorde een geroezemoes van stemmen met daar tussendoor het lachen van vrouwen, terwijl de rook van sigaren en sigaretten een bijna ondoorzichtige wolk op een meter afstand van het plafond vormde.

In het rose licht van de lampen zag hij mijnheer Louis aan een tafeltje zitten met een knappe jonge vrouw, terwijl hij achter een ander tafeltje Lapointe zag, met een glas kwast voor zich, die zich dodelijk zat te vervelen.

Pernelle liep, met een beroepsmatige glimlach op het gezicht, van de ene gast naar de andere, drukte handen, boog zich voorover om een goede mop te vertellen of om een bestelling op te nemen, die hij aan een van de kelners doorgaf.

Twee vrouwen op een hoge kruk aan de bar deden hun best om de aandacht van Lapointe te trekken, die verlegen een andere kant uit probeerde te kijken.

Toen Maigret binnengekomen was, had de ene zich naar haar vriendin toe gebogen, natuurlijk om haar toe te fluisteren:

– Dat is een stille!

Zodat, toen de commissaris bij de inspecteur ging zitten, deze plotseling ophield de dames te interesseren.

– Heb je gegeten?

– Ik heb een sandwich gegeten in dat café op de hoek waar hij meer dan een uur gezeten heeft. Daarna is hij weer teruggegaan hierheen en hij heeft gewacht tot dat juffertje kwam om aan tafel te gaan.

– Ben je niet al te moe?

– Neen.

– Ik had graag dat je hem bleef volgen. Als hij naar huis gaat, bel dan naar de Quai dat ze je komen aflossen. Ook als hij met die juffrouw mee naar huis gaat, wat ook mogelijk is, of naar een hotel. En laten we nu eerst maar eens samen gaan eten.

– Een pils, mijnheer Maigret?

– Neen, niet meer, Justin. Ik heb voor vandaag genoeg bier gehad.

Hij wenkte Pernelle, die hen naar een klein tafeltje bracht met een verguld lampje met zijden kap.

– Als ik u een advies mag geven: neemt u vanavond eens een paella. Die is werkelijk uitstekend. Dan zou u kunnen beginnen met een kaaspasteitje. En daar moet u dan een heel droge Tavel bij drinken. Tenzij u liever een oude Pouilly heeft...

– Goed, paella dan maar en die Tavel.

– Twee couverts?

Hij knikte en tijdens de maaltijd scheen hij uitsluitend in beslag genomen door het eten en de wijn, die zo fruitig was als men maar wensen kon. Mijnheer Louis daarentegen deed alsof hij alleen maar aandacht had voor zijn vriendin, die niettemin verscheidene malen achteromkeek naar de politiemannen en hem waarschijnlijk vragen stelde over hun aanwezigheid.

– Hoe langer ik naar hem kijk, fluisterde de commissaris, hoe zekerder ik weet dat ik hem ken. Het is lang geleden, misschien wel tien jaar, of nog langer. Het is mogelijk, dat ik met hem te maken gehad heb toen hij jong en slank was en dat ik hem nu niet kan thuisbrengen omdat hij zo dik geworden is.

Op het moment van de afrekening boog Pernelle zich, onopvallend, alsof hij iets van de rekening verduidelijkte, voorover en fluisterde Maigret in het oor:

– Nadat u weg was, schoot me nog iets te binnen. Een poosje geleden heb ik eens horen vertellen, dat Palmari ook nog een hotel had in de Rue de l'Etoile. Het was toen een hotel waar kamers per uur verhuurd werden. *Hôtel Bussière*, of *Bessière*, heette het.

Maigret betaalde met een gezicht alsof hij niets gehoord had.

– Ik ga erheen, Lapointe, zei hij zacht, even later. Ik verwacht niet dat ik er lang blijf. Veel succes.

Mijnheer Louis keek hem na tot aan de deur. Er kwam juist een lege taxi voorbij. Tien minuten later stapte Maigret uit voor het *Hôtel Bussière*, dat op nog geen honderd meter van het wijkbureau van politie lag. Twee of drie meisjes schilderden, ondanks de nabijheid van het politiebureau, met duidelijke bedoelingen op het trottoir.

– Ga je mee?

Hij knikte van neen, vond een nachtportier achter een loket, dat de gang van een klein vertrek scheidde waar men een cylinderbureau zag, een sleutelbord en een veldbed.

– Is het voor de hele nacht? Bent u alleen? Heeft u geen bagage? Dan moet ik u vragen vooruit te betalen. Dertig francs, plus twintig percent bediening.

Hij schoof de commissaris een opengeslagen boek toe.

– Naam, adres, nummer paspoort of identiteitsbewijs.

Als Maigret een van de meisjes buiten meegebracht had, zou hij zich die formaliteiten bespaard hebben. Maar na de valstrik die men hem twee weken geleden gespannen had en waardoor hij bijna met vervroegd pensioen gestuurd was, wilde hij zich maar liever niet compromitteren.

Hij schreef zijn naam in het boek, zijn adres, het nummer van zijn identiteitskaart, maar vulde geen beroep in. Hij kreeg een sleutel en de ongeschoren nachtportier drukte op de knop van een elektrische bel, die men ergens boven hoorde overgaan.

Het was geen kamermeisje, maar een man in hemdsmouwen met een wit schort voor, die hem op de eerste etage opwachtte en de sleutel aannam. Hij keek met een nors gezicht naar het nummer.

– 42? Komt u maar mee.

Het hotel had geen lift, wat het slechte humeur van de man verklaarde. Het nachtpersoneel van dergelijke tweede- en derderangs hotels bestaat vaak uit minder fraaie vertegenwoordigers van het menselijk geslacht, waarbij er altijd een groot aantal zijn met allerlei kwalen en gebreken.

Deze bediende liep mank en zijn gezicht met de scheve neus, dat erg geel was, wees op een leverkwaal.

– O, die trappen! Die ellendige trappen! schold hij, zacht voor zich uit. Smerig bordeel!

Op de vierde etage liep hij een smalle gang in, bleef staan voor no. 42.

– U bent er. Ik zal u handdoeken brengen.

Want er waren geen handdoeken op de kamers, de klassieke truc om nog een fooi los te krijgen boven de twintig percent bedieningsgeld.

De man liep vervolgens nog wat heen en weer, alsof hij er zich nog even van vergewiste dat er niets ontbrak, en tenslotte viel zijn blik op het biljet van vijftig francs, dat Maigret op in het oog lopende wijze tussen zijn vingers hield.

– Bedoelt u dat dat voor mij is?

Hij werd argwanend, maar kon niet verhinderen dat zijn ogen begonnen te schitteren.

– Wilt u een mooie vrouw hebben? Heeft u beneden niet kunnen vinden wat u zoekt?

– Doe de deur eens even dicht.

– Neemt u me niet kwalijk, maar u verwacht toch niets van míj, hoop ik? Het is gek, maar het is net of ik u meer gezien heb.

– Misschien iemand die op mij lijkt? Werkt u altijd 's nachts?

– Neen, ik niet. Dat ik om de andere week 's nachts werk, is omdat ik overdag voor een behandeling naar de kliniek moet.

– U werkt dus ook wel overdag, zodat u de vaste gasten hier kent?

– Er zijn er die ik ken, ja, maar er zijn er ook die maar één keer komen.

Zijn kleine, roodomrande oogjes gingen van het bankbiljet naar het gezicht van de commissaris en men zag, aan een rimpel in zijn voorhoofd, dat hij zich afvroeg wat die vragen te betekenen hadden.

– Ik zou graag van u willen weten of u deze vrouw soms kent.

Maigret haalde een foto van Aline Bauche uit zijn zak, die hij een paar maanden geleden zonder dat ze dat zelf wist, had laten nemen.

– En zo ja, of ze wel eens met een man hier komt.

De bediende sloeg maar één enkele blik op de foto, keek Maigret dan aan, terwijl de rimpels in zijn voorhoofd dieper werden.

– Houdt u mij voor de gek?

– Waarom?

– Omdat dat de eigenares is. Tenminste, voorzover ik weet.

– Ziet u haar vaak?

– In ieder geval nooit 's nachts. Ik zie haar wel eens als ik dagdienst heb.

– Heeft ze een kamer hier in het hotel?

– Een slaap- en een zitkamer, op de eerste etage.

– Maar is ze daar niet geregeld?

– Ik zeg u nogmaals dat ik het niet weet. Dan zie je haar en dan zie je haar niet. Dat is onze zaak niet en wij worden er niet voor betaald om haar te bespioneren.

– Weet u niet waar ze woont?

– Hoe zou ik dat moeten weten?

– En haar naam?

– Ik heb haar door de gerant wel eens juffrouw Bauche horen noemen.

– Als ze hier komt, blijft ze dan lang?

– Dat is onmogelijk te zeggen, want er is een wenteltrap van het kantoor van de gerant op de benedenverdieping naar het appartement op de eerste etage.

– Kun je van dat appartement ook langs de gewone trap voor de gasten beneden komen?

– Natuurlijk.

– Alstublieft. Dit biljet is voor u.

– Bent u van de politie?

– Wie weet...

– Neemt u me niet kwalijk, maar bent u niet commissaris Maigret? Ik dacht al dat ik uw gezicht kende. Ik hoop niet dat u de eigenares lastig gaat vallen, want dan krijg ik waarschijnlijk ook moeilijkheden.

– Ik beloof u dat er met geen woord over u gesproken zal worden.

Er was als bij toverslag een tweede biljet tussen de vingers van de commissaris verschenen.

– Dit is voor een duidelijk en eerlijk antwoord op mijn volgende vraag.

– Laat u die eerst maar eens horen.

– Als ze hier komt, die juffrouw Bauche zoals u haar noemt, spreekt ze dan nog iemand anders behalve de gerant?

– Ze bemoeit zich niet met het personeel, als u dat bedoelt.

– Neen, dat bedoel ik niet. Ze zou in haar appartement mensen kunnen ontvangen, die van buiten kwamen en die niet langs de wenteltrap maar langs de grote trap naar haar toe gingen...

Het bankbiljet was even verleidelijk als het eerste. En toen Maigret hem op de man af vroeg: – Hoe ziet hij eruit? bezweek hij.

– Ik heb hem maar een paar keer gezien, bijna altijd 's middags. Hij is jonger en slanker dan u.

– Donker haar? Een klein zwart snorretje? Een knap gezicht?

De bediende knikte bevestigend.

– Had hij een koffer bij zich?

– Meestal wel, ja. Hij neemt altijd dezelfde kamer, no 7 op de eerste etage. Die is het dichtst bij het appartement. Maar hij blijft nooit 's nachts.

Het bankbiljet verwisselde van eigenaar. De bediende stak het met een snel gebaar in zijn zak, maar hij ging niet onmiddellijk weg. Hij vroeg zich misschien af, of er nog niet een derde vraag zou komen, die hem opnieuw vijftig francs zou kunnen opleveren.

– Ik dank u wel. En ik beloof u, dat ik u er buiten zal laten. Over een paar minuten vertrek ik.

Op dat moment klonk er een elektrische bel. De bediende liep haastig de kamer uit en riep:

– Ik kom!

– Heb je niet te veel last van de warmte gehad? vroeg mevrouw Maigret bezorgd. Ik hoop dat je de

128

tijd genomen hebt om behoorlijk te eten vandaag en dat je niet alleen maar een paar sandwiches tussen je werk door genomen hebt, zoals zo vaak gebeurt.

– Ik heb een heerlijke paella gegeten in *Le Clou Doré*. En tussen de middag heb ik met een kleine dikke rechter-commissaris in een eethuisje in de Rue des Acacias gegeten, maar ik weet niet meer wat... Dat was een leuke man, die rechter...

Hij kon niet gemakkelijk in slaap komen, want al die mensen met wie hij die dag gesproken had, kwamen hem, de een na de ander, weer voor de geest, met op de voorgrond de vreemd gekromde, bijna groteske massa van Palmari zoals die op de grond voor de rolstoel gelegen had.

Voor mr. Ancelin was dat alleen maar een slachtoffer van een misdrijf, het uitgangspunt van een onderzoek dat hem enkele weken lang in beslag zou nemen. Maar Maigret had Manuel gekend in verschillende perioden van zijn bestaan en, hoewel ze elk aan een andere kant van de scheidslijn leefden, waren er toch, al waren ze zichzelf dat niet bewust geweest, bepaalde, moeilijk te definiëren banden tussen de beide mannen ontstaan.

Kon men zeggen, dat de commissaris achting had voor de ex-eigenaar van *Le Clou Doré?* Het woord achting was te sterk. Maar in weerwil van een heel leven in dienst van de politie kon Maigret de man zonder vooroordelen zien en koesterde hij, zijns ondanks, een zeker respect jegens hem.

Zo had hij ook, van het begin af aan, een grote belangstelling voor Aline gehad, die hem zelfs min of meer fascineerde. Hij trachtte haar te begrijpen, meende soms dat het hem lukte, om dat dan het volgende moment weer in twijfel te trekken.

Hij kwam eindelijk in de schemerige gewesten tussen waken en slapen en de gestalten van de personen begonnen te vervloeien, zijn gedachten werden vaag, wazig.

In de diepte, op de bodem, was de angst. Hij had daar vaak, wanneer ze 's avonds laat bij elkaar zaten, over gesproken met dokter Pardon, die ook, door zijn beroep, de mensen kende en die het wel grotendeels met hem eens was.

Iedereen kent angst. Men doet zijn best om de angst bij de kinderen, wanneer ze klein zijn, te verdrijven met sprookjes en bijna onmiddellijk, zodra het kind naar school gaat, is de angst er weer als het thuiskomt met een slecht rapport, dat het niet aan de ouders durft te laten zien.

Angst voor het water. Angst voor het vuur. Angst voor dieren. Angst voor het donker.

Angst, als het vijftien of zestien jaar geworden is, een verkeerde loopbaan te kiezen, te zullen mislukken in het leven.

In de nog slechts halfbewuste toestand waarin hij verkeerde, werden al die angsten als de tonen van een donkere, tragische symfonie: de heimelijke angsten die men tot het einde in zich meesleept, de felle angsten die doen schreeuwen, de angsten waar men achteraf om lacht, de angst voor het ongeluk, ziekte, de politieagent, de angst voor de mensen, voor wat ze zeggen, wat ze denken, voor de blikken der voorbijgangers die men op zich voelt rusten. In die manke bediende in het *Hôtel Bussière*, daarstraks, streed de angst om ontslagen te worden met de begeerte. Bij beide biljetten was er diezelfde strijd geweest, beide keren met dezelfde afloop.

Was hij niet nog steeds bang, ook nu nog, op dit moment? Bang dat Maigret zijn naam zou noemen, hem betrekken in een zaak die, naar hij wel vermoedde, heel ernstig was en die hem de hemel mocht weten wat voor moeilijkheden zou brengen?

Uit angst ook was Pernelle, de kersverse eigenaar van *Le Clou Doré* naar de commissaris toe gekomen om hem het adres in de Rue de l'Etoile in het oor te fluisteren. Angst dat hij last met de politie zou kunnen krijgen, angst dat zijn bedrijf op grond van de een of andere duistere wetsbepaling gesloten zou kunnen worden.

Was mijnheer Louis ook niet bang? Tot nu toe was hij in de schaduw gebleven, zonder enige aanwijsbare verbinding met Manuel en Aline. En nu zat de politie opeens ook hem op de hielen, en hij had te lang in Montmartre gewoond om niet te weten wat dat betekende.

Wie zat er op dit moment het meest in angst, Aline of Fernand Barillard?

's Morgens had niemand nog het flauwste vermoeden gehad van de betrekkingen tussen de beide appartementen op de vierde etage. Mevrouw Barillard leidde een opgewekt, zorgeloos leven, zonder zichzelf met vragen te kwellen, als een eenvoudige huisvrouw die haar gezin zo goed verzorgt als ze kan.

Was Aline er toe kunnen komen naar bed te gaan?
Lucas was er gebleven, kalm en beslist, alsof hij deel
van het huis uitmaakte. Niemand zou hem er vandaan kunnen krijgen. Ze kon niet uitgaan, niet opbellen. Ze was opeens helemaal aan zichzelf overgele-
verd, afgesneden van de rest van de wereld.
Zou ze niet liever naar de Quai des Orfèvres overgebracht zijn, waar ze had kunnen protesteren, de aanwezigheid eisen van een advocaat van haar keuze?
Officieel was de politie alleen maar bij haar om
haar te beschermen.
Twee deuren en een portaal scheidden haar van de
man, die ze herhaalde malen in haar geheime appartement in het *Hôtel Bussière* ontvangen had.
Was Palmari daar van op de hoogte geweest? Hij
had ook maandenlang geleefd met de politie voor zijn
huis, terwijl al zijn telefoongesprekken afgeluisterd
werden, en hij was bovendien nog invalide geweest.
Hij had zijn activiteiten niettemin voortgezet, zijn
mannen door bemiddeling van Aline zijn instructies
gegeven.
Dat was Maigrets laatste gedachte voor hij insliep:
Aline... Manuel... Aline noemde hem 'papa'... Ze
was tegen iedereen ironisch en hatelijk, maar voor
de oude bendeleider was ze altijd even hartelijk en ze
verdedigde hem als een tijgerin...
Aline... Manuel...
Aline... Fernand...
Eén ontbrak er. Maigret was niet helder genoeg
meer om zich te herinneren wie dat was. Een der
raderen van het raderwerk. Hij had er met iemand

over gesproken. Met de rechter misschien? Een belangrijk rad, vanwege de diamanten...

Aline... Manuel... Fernand... Neen, Manuel moest doorgeschrapt worden, want die was dood... Aline... Fernand...

Elk in zijn eigen hokje opgesloten, in afwachting van het initiatief dat Maigret zou nemen.

Toen hij wakker werd was zijn vrouw bezig het raam wijd open te zetten, bracht hem dan een kop koffie.

– Heb je goed geslapen?

– Ik weet het niet. Ik heb heel veel gedroomd, maar ik herinner me niet meer waarover.

Hetzelfde zonnige weer als de vorige dag, dezelfde vrolijkheid in de lucht, in het getjilp van de vogels, in de geluiden en de geuren van de straat.

Maar Maigret was anders, dat vrolijke lied van de nieuwe dag die begon, zong niet meer in hem.

– Je ziet er moe uit.

– Ik heb een zware dag voor de boeg, met grote verantwoordelijkheden die ik op me moet nemen.

Dat had ze de vorige dag toen hij thuiskwam al begrepen, maar ze wachtte zich er wel voor hem vragen te stellen.

– Je moet je grijze linnen kostuum aandoen. Dat is lichter dan het andere.

Hoorde hij het? Hij at machinaal zijn ontbijt, dronk, zonder er iets van te proeven, twee koppen zwarte koffie. Hij neuriede niet toen hij onder de douche stond en kleedde zich met een verstrooid gezicht aan, vergat naar het menu van 's middags te vragen. Het enige wat hij vroeg, was:

– Zeg, was die kreeft lekker, gisteren?

– Er is nog genoeg overgebleven voor een kreeftesla.

– Bel even een taxi voor me, wil je?

Geen bus deze morgen, zelfs niet een bus met een achterbalkon. Geen voorbijflitsende huizen, straten, auto's, geen kleurige beelden, die hij met welbehagen over zijn netvlies liet glijden.

– Quai des Orfèvres!

Eerst naar zijn kamer.

– Bel eens even voor mij Fernand Barillard, Etoile 4248... Met mevrouw Barillard?... Met commissaris Maigret... Mag ik uw man, alstublieft?... Ja, ik wacht...

Zijn hand woelde machinaal in de stapel rapporten die op het bureau lag.

– Met mijnheer Barillard?... Ja, daar ben ik weer... Ik heb gisteren nog vergeten u te vragen vanmorgen en waarschijnlijk de hele dag thuis te blijven... Dat weet ik!... Dat weet ik!... Niets aan te doen! Dan moeten uw klanten maar wachten... Neen, ik kan onmogelijk zeggen hoe laat ik bij u kom...

Van Lucas lag er alleen maar een persoonlijk briefje voor de commissaris en zijn officiële rapport zou hij later opmaken.

'Niets van belang te vermelden. Ze heeft tot twee uur vannacht door het huis gelopen en een paar maal dacht ik, toen ze vlak langs me liep, dat ze me zou aanvliegen. Tenslotte sloot ze zich in haar kamer op en na een half uur ongeveer was het daar stil en ik heb niets meer gehoord. Om acht uur, toen Jarvis me kwam aflossen, scheen ze te slapen. Ik zal tegen elven naar de Quai bellen om te horen of u mij nodig hebt.'

Het rapport van Lapointe was niet veel interessanter. Het was om drie uur 's morgens naar de Quai doorgebeld.

'Doorgeven aan commissaris Maigret. Mijnheer Louis en zijn vriendin zijn tot half twaalf in *Le Clou Doré* gebleven. Die vriendin heet Louise Pégasse en ze treedt in een stripteasenummer op, aan het eind van het programma, in *La Boule Verte*, een cabaret in de Rue Pigalle.

Mijnheer Louis ging met haar mee daarheen. Ik ben ze gevolgd en ben aan een tafeltje dicht bij het zijne gaan zitten. Louise, of Lulu, zoals ze genoemd wordt, was door de artisteningang naar binnen gegaan en toen ze klaar was met haar nummer, ging ze aan de bar zitten, waar ze met haar collega's de consumptie moet stimuleren. Mijnheer Louis was al die tijd op zijn plaats blijven zitten. Hij heeft niet opgebeld, is geen moment uit de zaal geweest.

Even voor drieën ging Lulu naar hem toe en fluisterde hem wat in het oor. Hij ging naar de garderobe zijn hoed halen en we hebben buiten, op straat, achter elkaar lopen wachten. Lulu kwam al vrij gauw naar buiten. Ze gingen, lopend, naar een hotel op de Place Saint-Georges: het *Hôtel du Square*.

Ik heb de nachtportier ondervraagd. Louise Pégasse woont sedert een paar maanden in het hotel. Ze komt vaak met een man thuis, zelden met dezelfde. Dit was de tweede of derde keer dat ze mijnheer Louis mee naar haar kamer nam. Ik bel vanuit een kroegje dat direct gaat sluiten. Ik blijf de wacht houden.'

– Janvier! Waar is Janvier? Is hij er nog niet?

– Hij is even naar de W.C., commissaris.

Janvier kwam al binnen.

– Stuur eens iemand naar de Place Saint-Georges om Lapointe af te lossen. Hij staat voor het *Hôtel du Square*. Hij zal wel doodop zijn. Als hij niets nieuws te vertellen heeft, laat hij dan gaan slapen en me aan het eind van de middag opbellen. Het is mogelijk dat ik hem dan nodig heb.

Dan haastte hij zich naar de kamer van de directeur. Hij was verreweg de laatste die binnenkwam en de anderen keken elkaar aan met blikken van verstandhouding, want men kende die gelaatsuitdrukking van hem: het onverzettelijke gezicht, dat hij altijd had wanneer hij op het punt stond een grote slag te slaan, met zijn pijp strijdlustig tussen zijn kaken geklemd, met zo'n kracht, dat hij het ebonieten mondstuk wel eens stukgebeten had.

– Neemt u mij niet kwalijk, mijnheer...

Hij hoorde niets van wat er om hem heen gezegd werd. Toen het zijn beurt was, maakte hij het kort. Hij bromde:

– Ik ben nog bezig met het onderzoek naar de moord op Manuel Palmari. Als alles goed gaat, heb ik goede hoop dat ik tegelijkertijd die bende van de juwelendiefstallen kan oprollen.

– Loopt u nu nog altijd met dat idee rond? Hoeveel jaar verdenkt u Palmari nu al?

– Al vele jaren, dat is zo.

Er lagen nog meer rapporten op hem te wachten,

met name die van Gastinne-Renette en van de politiearts. De drie kogels die Manuel getroffen hadden en waarvan er een in de rugleuning van de rolstoel was blijven steken, waren inderdaad afgeschoten uit de Smith and Wesson van Palmari.

– Janvier! Kom eens even...

Hij gaf hem instructies om de aflossing van de wacht in de Rue des Acacias te regelen.

Even later ging hij de glazen deur door die de Centrale Recherche verbindt met het Paleis van Justitie. Hij moest twee trappen op voor hij de kamer van mr. Ancelin vond, bijna onder de hanebalken.

Het was een van de niet-gemoderniseerde vertrekken, die de jongstaangekomenen altijd kregen en de rechter moest zijn papieren zomaar op de grond opstapelen en de hele dag het licht aan hebben.

Toen de dikke rechter Maigret zag binnenkomen wreef hij zich in de handen.

– Ik kan u wel een ogenblikje missen nu, zei hij tegen zijn griffier. Gaat u zitten, commissaris. Ik ben benieuwd te horen hoe ver u bent.

Maigret gaf hem een kort verslag van wat hij de vorige dag gedaan had en een résumé van de rapporten die hij die morgen ontvangen had.

– En hoopt u nu dat al die losse gegevens tenslotte een samenhangend geheel zullen gaan vormen?

– Elk van de personen die in deze zaak betrokken zijn, zit in angst en is op dit moment van de anderen geïsoleerd. Mogelijkheid om met elkaar contact op te nemen, hebben ze niet...

– Ik begrijp het! Ik begrijp het! Heel slim bedacht!

Maar juridisch is er wel een en ander op aan te merken! Ik zou zoiets nooit kunnen doen, maar ik begin uw taktiek te begrijpen. Wat gaat u nu doen?

– Eerst een wandelingetje maken door de Rue La Fayette, waar iedere morgen, in een café en op straat, diamanten verhandeld worden. Ik ken een aantal diamanthandelaars daar. Ik ben vaak in die buurt geweest. En dan ga ik naar de kartonnagefabriek van Gelot en Zoon om na te gaan... enfin, dat hoef ik u niet uit te leggen.

– Dus, als ik het goed begrijp, zit het hele geval als volgt in elkaar...

En de rechter gaf, met twinkelende oogjes, zijn zienswijze van de zaak, wat bewees dat hij een deel van de nacht besteed had aan het bestuderen van het beschikbare materiaal.

– Ik neem aan dat u Palmari als het hoofd van de onderneming beschouwt. In zijn bar in Montmartre heeft hij jaren lang de gelegenheid gehad, zware jongens van alle leeftijden, die daar samenkwamen, te leren kennen. De oude generatie is langzamerhand door heel Frankrijk verspreid geraakt, maar heeft niettemin haar contacten gehouden.

Anders gezegd, Palmari hoefde maar even het juiste adres op te bellen en hij had de twee of drie man die hij voor een bepaalde operatie nodig had. Bent u het met mij eens?

Maigret knikte, glimlachend om de opgewondenheid van de magistraat.

– Zelfs toen hij tengevolge van dat ongeval van de wereld afgesloten was, wist hij zijn organisatie te blijven leiden, dank zij de bemiddeling van Aline Bauche. Hij heeft onmiddellijk toen hij met haar in de Rue des Acacias ging wonen, het huis gekocht en ik vraag me nu af, of hij dat niet met een speciale bedoeling gedaan heeft.

– Ja, dan kon hij, onder andere, bepaalde huurders opzeggen als hij een leeg appartement nodig had.

– Voor Barillard, bijvoorbeeld! Het is heel praktisch, als je onder toezicht van de politie staat, om een medeplichtige op dezelfde etage te hebben. Gelooft u dat Barillard in staat is edelstenen te slijpen en ze aan de man te brengen?

– Ze aan de man te brengen, ja. Maar ze te slijpen, neen, want dat is een van de moeilijkste vakken die er zijn. Barillard zocht de etalages uit die de moeite van een overval waard waren, wat, gegeven zijn beroep, niet moeilijk voor hem was. Door bemiddeling van Aline, die van tijd tot tijd aan onze bewaking wist te ontsnappen en dan naar *Hôtel Bussière* ging...

– Vandaar dat hij ook dat hotel kocht, wat bovendien nog een goede belegging was.

– Dan kwamen er, voor een of twee dagen, een paar handlangers uit de provincie naar Parijs. Aline, of misschien Barillard, wachtte ze ergens op een afgesproken plaats op en nam de sieraden in ontvangst. Die knapen vertrokken dan meestal weer zonder dat ze lastig gevallen werden, zonder zelfs te weten voor wiens rekening ze gewerkt hadden. Dat verklaart ook dat de kerels die we enkele keren gearresteerd hebben, ons niets konden vertellen.

– U mist dus per slot van rekening nog éen schakel.

– Dat is juist. De diamantslijper.

– Veel succes, mijnheer Maigret.

– Dank u. Ik houd u op de hoogte.

Toen hij in zijn kamer terugkwam, belde hij de kartonnagefabriek in de Avenue des Gobelins op. Hij kreeg Gelot junior aan de lijn.

– Welneen, mijnheer Gelot. Er is geen enkele reden om te schrikken. Ik wilde alleen graag een paar kleine inlichtingen hebben, maar dat heeft niets te maken met de reputatie van uw firma. Als u mij zegt dat mijnheer Barillard een uitstekend vertegenwoordiger is, dan geloof ik dat onmiddellijk.

Ik zou alleen maar willen weten, welke juweliers hem bestellingen opgegeven hebben gedurende laten we zeggen de laatste twee jaar. Ik neem aan dat het voor uw boekhoudafdeling een kleine moeite is daar even een lijst van op te maken. Die kom ik aan het eind van de middag dan even halen. Neen, maakt u zich geen zorg. Wij spreken nooit over zulke dingen, met niemand.

Dan ging hij naar de kamer van de inspecteurs, keek geruime tijd naar de gezichten om zich heen, liet tenslotte, zoals gewoonlijk, zijn keus op Janvier vallen.

– Heb je niets belangrijks onder handen?

– Neen, chef. Ik was met een rapport bezig maar dat heeft geen haast. Die eeuwige papierwinkel...

– Pak je hoed en ga mee.

Evenals velen van zijn generatie zag Maigret ertegen op zelf te rijden. Dat vond bij hem vooral zijn oorzaak in het feit, dat hij vaak verstrooid was en in gepeins verzonk wanneer hij met een onderzoek bezig was.

– Hoek Rue La Fayette en Rue Cadet.

Het is bij de politie een vaste regel om, bij belangrijke stappen, er met zijn tweeën op af te gaan. Als
hij de vorige dag, in *Le Clou Doré*, Lapointe niet bij
zich had gehad, had hij mijnheer Louis niet kunnen
laten schaduwen en zou het zeker verscheidene dagen geduurd hebben vóór hij zich voor het doen en
laten van Barillard was gaan interesseren.

– Ik kom direct bij u. Even een plaatsje voor de wagen zoeken...

Janvier kende de markt die daar gehouden werd,
ook. De meeste Parijzenaars daarentegen, zelfs de
mensen die iedere morgen door de Rue La Fayette
komen, hebben er geen vermoeden van dat die mannen met hun onopvallend, eenvoudig voorkomen, die
in groepjes op het trottoir staan te praten of om een
tafeltje in het café zitten, voor enorme bedragen
aan zeldzame edelstenen in hun zak hebben.

Die stenen, die ze in kleine linnen zakjes bewaren,
gaan van hand tot hand en bij de transacties die er
plaatsvinden komen geen kwitanties of ontvangst-
bewijzen te pas. Er heerst in dat gesloten wereldje,
waarin iedereen elkaar kent, onbeperkt vertrouwen.

– Dag Bérenstein!

Maigret drukte iemand de hand, een lange magere
man die juist afscheid genomen had van twee anderen, na een zakje met diamanten, alsof het een re-
klamefolder was, in zijn zak gefrommeld te hebben.

– Dag commissaris. Weer een juwelendiefstal?

– Neen, sedert verleden week niet meer.

– Heeft u de knaap nog steeds niet gevonden? Ik heb

het er, zeker al voor de twintigste maal, met mijn collega's over gehad. Ze kennen net als ik alle diamantslijpers die er zijn in Parijs. Zoals ik u al gezegd heb, zijn er dat niet zo veel en ik zou mijn hand voor ze in het vuur durven steken. Er is er niet één bij, die het risico op zich zou nemen om gestolen of zelfs maar verdachte stenen te versnijden. En die kerels hebben daar een neus voor, dat kunt u van mij aannemen! Drinkt u een biertje mee?

– Graag, ja. Even wachten tot mijn inspecteur overgestoken is.

– O, Janvier, ik zie hem. Zo, u hebt dus versterking meegebracht...

Ze gingen aan een tafeltje zitten en tussen de tafeltjes stonden makelaars druk te discussiëren. Soms haalde er een een horlogemakersloep uit zijn zak om een steen te onderzoeken.

– Vóór de oorlog waren de voornaamste centra van de slijperij Antwerpen en Amsterdam. Het is heel merkwaardig, dat de meeste slijpers – waarom, daar ben ik nooit achter kunnen komen – uit de Baltische landen afkomstig waren, uit Estland of Letland. Dat is trouwens nog steeds zo.

In Antwerpen hadden ze een speciaal identiteitsbewijs voor vreemdelingen en toen ze in 1940 wegvluchtten voor de Duitsers, zijn ze allemaal bij elkaar naar Royan geëvacueerd en daarna naar de Verenigde Staten.

Toen de oorlog voorbij was, hebben de Amerikanen alle mogelijke moeite gedaan om ze daar te houden. Maar ze hebben er niet meer dan een kleine tien pro-

cent van kunnen vasthouden, want die mensen hadden heimwee.

Toch zijn er op de terugweg nog een paar in Parijs
blijven hangen. Die kunt u vinden in de Marais en in
de omgeving van de Rue du Faubourg St-Antoine.
Ze zijn allemaal bekend en ze hebben allemaal om zo
te zeggen een stamboom, want het is een beroep dat
van vader op zoon overgaat en dat bepaalde gehei-
men heeft.

Maigret keek hem aan met een blik die opeens dromerig geworden was, alsof hij niet meer luisterde.

– Wacht eens even. Je zei...

Bérenstein had iets gezegd waarvan de betekenis nu
pas tot hem doordrong.

– Wat heb ik voor bijzonders gezegd?

– Een ogenblik! De inval van de Duitsers... De diamantslijpers in Antwerpen die... De Verenigde Staten... Een klein gedeelte blijft daar... En waarom
zouden er, toen ze uit Antwerpen weggevlucht waren,
ook niet een paar in Frankrijk gebleven zijn?

– Dat is mogelijk. Maar de kans is groot dat die, omdat het bijna allemaal Joden zijn, in de concentratie-
kampen of in de gaskamers omgekomen zijn.

– Tenzij...

De commissaris stond plotseling op.

– Vooruit, Janvier! Waar staat je wagen? Dag,
Bérenstein. Neem me niet kwalijk. Daar had ik eerder aan moeten denken...

En Maigret haastte zich zo snel hij kon tussen de
groepjes door die op het trottoir stonden.

6

Janvier keek recht voor zich uit, terwijl hij het stuurrad van het kleine zwarte wagentje wat steviger dan
gewoonlijk omklemde, en hij moest zich bedwingen
om niet even een blik te slaan op het gezicht van
Maigret die naast hem zat. Op een gegeven moment
deed hij zijn mond open voor een vraag die hem op de
lippen brandde, maar hij had voldoende zelfbeheer-
sing om die binnen te houden.
Al werkte hij al sedert hij bij de Recherche gekomen
was met de commissaris samen en had hij hem in
honderden zaken terzijde gestaan, toch was hij iedere
keer weer opnieuw onder de indruk van het verschijnsel dat hij zojuist had zien optreden.
De vorige dag had Maigret zich met opgewekte en
vurige ijver op het onderzoek geworpen, had mensen

uit het donker gehaald en ze in de schijnwerper gezet, ze tussen zijn grote handen om en omgedraaid,
zoals een kat met een muis speelt, en ze tenslotte
weer in hun hoekje teruggezet. Hij stuurde inspecteurs naar links en naar rechts, zonder plan, in het
wilde weg, leek het, met de gedachte dat het altijd
wel iets op zou leveren.

Maar opeens speelde hij niet meer. Janvier had een
ander iemand naast zich, een zwijgende massa,
waarop niemand en niets vat had, een bijna angst-
aanjagend blok graniet.

De lanen, de straten van Parijs waren, nu de zon
haar hoogste stand bijna bereikt had, een waar vuur-
werk in de julihitte en men zag overal plekken van
verblindend geschitter: op de leien en de rose pan-
nen van de daken, op de ruiten van de vensters met
in het midden de vlam van een geranium, op de veel-
kleurige carrosserieën van de auto's, blauw, groen,
geel; een kakofonie van geluiden ook: klaxons, stemmen, gieren van remmen, bellen, het snerpend ge-
fluit van een agent.

De kleine zwarte auto leek in die symfonie een
eilandje van stilte en rust, Maigret zelf een onbewo-
gen, onaandoenlijke massa en het was wel zeker, dat
hij niets om zich heen zag, niets hoorde, hij bemerkte
zelfs niet, dat ze in de Rue des Acacias aangekomen
waren.

– We zijn er, chef.

Hij wrong zich uit het autootje, dat te klein voor hem
geworden was, keek met een blik zonder herkenning
naar de straat die hem toch vertrouwd was, keek

dan langs de gevel omhoog, alsof hij bezit nam van het hele huis, etage voor etage, met al zijn bewoners. Hij nam nog de tijd op het trottoir zijn pijp tegen de hak van zijn schoen leeg te kloppen, een andere te stoppen en aan te steken.

Janvier vroeg hem niet, of hij met hem mee naar binnen moest, zei ook niets tegen Jarvis, die voor het huis op wacht stond en zich afvroeg waarom de chef hem niet scheen te herkennen.

Dan liep Maigret regelrecht naar de lift en Janvier volgde hem. De commissaris drukte niet op de knop voor de vierde, maar op die van de vijfde etage, waar hij met grote stappen naar de zolderkamers liep.

Hij sloeg linksaf, bleef staan voor de deur van de doofstomme en draaide, omdat hij wist dat hij toch geen antwoord zou krijgen, de knop om. De deur was niet op slot. De kamer van de Vlaming was leeg.

De commissaris scheurde het gordijn van de hangkast bijna, zo wild trok hij het opzij. Hij bekeek even de weinige kleren die er hingen en die allemaal min of meer versleten waren.

Dan zag hij de kamer rond, keek in alle hoeken, nam alles, als een foto, in zijn geest op. Daarna ging hij een etage lager, aarzelde, nam opnieuw de lift, die hem naar beneden bracht.

De conciërge was in haar loge, met aan haar rechtervoet een schoen, haar linker in een pantoffel.

– Kunt u mij ook zeggen of Claes vanmorgen uitgegaan is?

Ze schrok toen ze zag hoe gespannen hij was.

– Neen. Hij is nog niet beneden geweest.

– Bent u niet uit uw loge weg geweest?

– Neen, ik heb niet eens de trappen gedaan. Dat heeft de buurvrouw voor me gedaan, want ik kan weer eens niets doen van de pijn.

– Is hij vannacht niet de deur uitgegaan?

– Er is niemand uitgegaan. Ik heb de deur alleen opengetrokken voor mensen die thuiskwamen. Trouwens, u heeft een inspecteur buiten staan, die kan het u wel vertellen.

Maigret dacht hard, dacht zwaar, zoals Janvier dat voor zichzelf noemde.

– Vertelt u mij eens... Als ik het goed begrepen heb, heeft iedere huurder een eigen hoekje op de zolder...

– Dat is zo, ja. En iedere huurder kan er ook, als hij dat wil, een dienstbodenkamer bij huren.

– Ja, dat kan me niet schelen, maar hoe is het met de kelders?

– Voor de oorlog waren er maar twee grote kelders en dan regelden de mensen onder elkaar, waar ze elk hun kolen opsloegen. Maar in de oorlog, toen de anthraciet even duur was als kaviaar, kwam er ruzie, want sommigen beweerden dat anderen anthraciet van hen weggenomen hadden. Daarom heeft de eigenaar die er toen was schotten laten maken met deuren en hangsloten.

– Zodat iedere huurder nu zijn eigen kelder heeft?

– Ja.

– Claes ook?

– Neen. Dat is geen echte huurder, want hij heeft alleen maar een dienstbodenkamer.

147

– En de Barillards?

– Die natuurlijk wel.

– Heeft u de sleutels van de kelders?

– Neen. Ik zei u net al dat ze met een hangslot afgesloten worden. Iedere huurder heeft de sleutel van zijn eigen slot.

– Als er iemand naar de kelder gaat, kunt u dat dan zien?

– Van hier uit niet. De keldertrap is tegenover de diensttrap, helemaal achteraan. Het is de deur waar niets op staat en waar geen mat voor ligt.

Maigret stapte weer in de lift en keek Janvier recht in de ogen zonder iets te zeggen. Hij was zo ongeduldig, dat hij met zijn vuist op de deur bonsde in plaats van te bellen. Mevrouw Barillard kwam in een blauwe linnen jurk opendoen. Ze keek hem met verschrikte blik aan.

– Waar is uw man?

– Op zijn kamer. Hij zei dat hij van u de deur niet uit mocht.

– Wilt u hem even roepen?

Men zag Barillard naar voren komen, nog in pyjama en kamerjas. Hij zag er minder goed uit dan de vorige dag en hij was ook heel wat minder zelfverzekerd, al deed hij zijn best dat niet te laten blijken.

– Haalt u de sleutel van de kelder eens even.

– Maar...

– Doe wat ik u zeg!

Het toneel had iets onwerkelijks, iets van een droom of liever van een nachtmerrie. De verhouding tussen de mannen was plotseling veranderd. Het was alsof elk van hen zich in een shocktoestand bevond en de woorden kregen een andere zin nu, evenals de gebaren, de blikken.

– Gaat u ons voor.

Hij duwde hem de lift in en beval, toen ze beneden kwamen, kortaf:

– Naar de kelder.

Barillard werd steeds onzekerder, Maigret steeds grimmiger.

– Deze deur?

– Ja.

Eén heel zwakke lamp aan een draad verlichtte de witte muur en de deuren, waar vroeger nummers opgestaan hadden maar die nu nagenoeg onleesbaar geworden waren, en men zag op de afgeschilferde verf nog flauw iets van wat obscene tekeningen geweest moesten zijn.

– Hoeveel sleutels zijn er voor dat hangslot?

– Ik heb er maar een.

– Wie zou er nog meer een kunnen hebben?

– Hoe kan ik dat weten?

– Heeft u niemand een sleutel gegeven?

– Neen.

– Wordt die kelder alleen door u en uw vrouw gebruikt?

– We gebruiken hem al jaren niet.

– Maakt u de deur maar open.

De handen van de vertegenwoordiger beefden en hij zag er hier in die pyjama en die kamerjas grotesker uit dan in zijn keurig ingerichte appartement.

– Nu, waar wacht u nog op?

Hij duwde en de deur ging een centimeter of vijftien open, maar niet verder.

– Hij gaat niet verder...

– Duwt u dan wat harder. Met uw schouder desnoods...

Janvier keek met grote ogen, niet naar de vertegenwoordiger, maar naar Maigret, want hij begreep opeens dat de commissaris wist – maar sedert wanneer al? – wat er nu gebeuren ging.

– Hij geeft een beetje mee...

Plotseling zag men een been hangen. Toen de deur verder draaide, werd een tweede been zichtbaar. Van de zoldering hing een menselijk lichaam, met de blote voeten ongeveer een halve meter boven de grond van platgestampte aarde.

Het was de oude Claes, met als enige kleding een hemd en een oude broek.

– Doe hem de boeien aan, Janvier.

De inspecteur keek beurtelings naar het lijk dat daar hing en naar Barillard, die toen hij de boeien zag, protesteerde.

– Neen, wacht even, alstublieft!

Maar onder de ondoorgrondelijke blik van Maigret die op hem rustte, gaf hij zijn verzet op.

– Ga Jarvis halen, Janvier. Hij is niet meer nodig buiten.

Evenals hij dat op de bovenste etage gedaan had, inspecteerde Maigret ook de kleine ruimte hier met de grootste opmerkzaamheid en men voelde dat elk detail voorgoed in zijn geheugen gegrift werd. Hij streek met zijn vinger over verschillende instrumenten die hij uit een tas haalde, scheen dan in gedachten verdiept een zware stalen tafel, die in de grond vastgezet was, te strelen.

– Jij blijft hier, Jarvis, tot de heren van de Identificatiedienst komen. Laat niemand binnen komen, zelfs je collega's niet. En je raakt zelf ook niets aan. Begrepen?

– Jawel, chef.

– Vooruit!

Hij keek daarbij Barillard aan, die er opeens heel anders uitzag met zijn beide handen geboeid op zijn rug en die naar de deur liep met de bewegingen van een marionet.

Ze namen niet de lift, maar gingen langs de diensttrap naar de vierde etage zonder iemand tegen te komen. Mevrouw Barillard, die in de keuken bezig was, slaakte een kreet toen ze haar man met de boeien om de polsen zag.

– Mijnheer Maigret!

– Straks, mevrouw. Ik moet eerst even telefoneren. En hij liep, zonder zich met de anderen te bemoeien, naar de kamer van Barillard, waar een lucht van sigarettenpeuken hing, draaide het nummer van mr. Ancelin.

– Met Maigret. Ik ben een stommeling, mijnheer Ancelin. En ik voel mij verantwoordelijk voor de dood van een mens. Ja, nog een dode. Waar? In de Rue des Acacias natuurlijk. Ik had het direct, in het begin al, moeten begrijpen. Ik heb links en rechts rond lopen zoeken, in plaats van het enige belangrijke spoor te blijven volgen. En het ergste is, dat dat derde element, als ik het zo noemen mag, me toch al jaren lang bezighield.

Neemt u mij niet kwalijk, dat ik u op dit moment geen bijzonderheden geef. Er is iemand opgehangen, hier in de kelder. De dokter zal zonder enige twijfel kunnen vaststellen, dat er geen sprake is van zelfmoord, dat hij al dood of gewond was toen hij het touw om zijn hals kreeg. Het is een oude man.

Zoudt u zo vriendelijk willen zijn ervoor te zorgen, dat het Parket niet al te gauw ter plaatse arriveert? Ik heb nog heel veel te doen op de vierde etage en ik zou liever niet gestoord worden voordat ik een resultaat heb. Hoeveel tijd ik daar voor nodig heb, kan ik niet zeggen. Tot straks mijnheer Ancelin... Wat zegt u?... Neen, in dat gezellige eethuisje zullen ze ons helaas niet zien vandaag.

Even later had hij zijn oude vriend Moers, van de Identificatiedienst, aan de lijn.

– Ik heb werk voor je, werk dat met grote zorgvuldigheid gebeuren moet en niet terwijl er allerlei mensen heen en weer lopen. Zorg dat je het Parket en de rechter vóór bent in de kelder, want het is beter dat die heren niet overal met hun vingers aan zitten. Je zult dingen vinden waar je van opkijkt. Misschien moeten de muren beklopt worden en de grond omgegraven.

Hij stond met een zucht op uit de stoel van Barillard, liep de salon door waar deze op een stoel zat met tegenover zich Janvier, die een sigaret rookte. Hij liep door naar de keuken, deed de ijskast open.

– Mag ik zo vrij zijn? vroeg hij mevrouw Barillard.

– Vertelt u mij eens, commissaris...

– Een ogenblikje, mevrouw. Ik verga van de dorst.

Terwijl hij een flesje bier openmaakte, reikte zij hem een glas aan, gedwee en angstig tegelijk.

– Denkt u dat mijn man...

– Ik denk niets. Gaat u eens mee.

Ze volgde hem, helemaal ontdaan, naar de kamer van haar man, waar hij zich in Barillards stoel liet zakken of hij thuis was.

– Gaat u zitten. En laten we eens rustig praten. U heet van u zelf Claes, is het niet?

– Ja.

Ze aarzelde, kreeg een kleur.

– Luistert u eens, commissaris. Dat is zeker belangrijk, nietwaar?

– Van nu af aan is alles belangrijk, mevrouw. En ik zeg het u openlijk: ieder woord is van gewicht.

– Ik heet inderdaad Claes. Dat wil zeggen, dat is de meisjesnaam die op mijn identiteitskaart staat.

– U bedoelt dat u...

– Dat ik niet weet of dat mijn ware naam is.

– Is de oude man die op de zolderkamer woonde, familie van u?

– Ik geloof het niet. Ik weet het niet. Dat is allemaal zo lang geleden! Ik was nog maar een klein meisje.

– Over welke tijd spreekt u nu?

– Van dat bombardement in Douai, toen we geëvacueerd werden. Ik herinner me treinen en nog eens treinen, waar de mensen uitstapten om onder de wagons te gaan liggen. Vrouwen die bloedende babies droegen. Mannen met een band om hun arm, die heen en weer renden. Dan reden we weer verder. En tenslotte, dat verschrikkelijke bombardement, alsof de wereld verging...

– Hoe oud was u toen?

– Ik denk vier jaar. Misschien iets ouder, of iets jonger.

– Waar komt die naam Claes vandaan?

– Ik denk dat dat de naam van mijn familie is. Het schijnt dat ik die zelf genoemd heb.

– En uw voornaam?

– Mina.

– Sprak u Frans?

– Neen, alleen maar Vlaams. Ik had nog nooit een stad gezien.

– Herinnert u zich de naam van uw dorp nog?

– Neen. Maar waarom spreekt u over mij en niet over mijn man?

– Dat komt straks. Waar heeft u de oude man ontmoet?

– Daar ben ik niet zeker van. Wat onmiddellijk voor en wat onmiddellijk na het bombardement gebeurd is, loopt in mijn herinnering allemaal door elkaar. Maar ik herinner me wel, dat ik naast iemand liep die mijn hand vasthield.

Maigret nam de telefoon op en vroeg het stadhuis in Douai aan. Hij kreeg de verbinding zonder dat hij behoefde te wachten.

– De burgemeester is niet aanwezig, deelde de secretaris hem mee.

Hij was heel verwonderd toen hij Maigret hoorde vragen:

– Hoe oud bent u?
– Tweeëndertig jaar.
– En de burgemeester?
– Drieënveertig.
– Wie was er burgemeester toen de Duitsers binnen-
vielen, in 1940?
– Dokter Nobel. En hij is dat gebleven tot tien jaar
na de oorlog.
– Leeft hij nog?
– Jazeker. En hij praktiseert ook nog, ondanks zijn
hoge leeftijd. Hij woont nog steeds in zijn oude huis
op de Grand-Place.
Drie minuten later had Maigret dokter Nobel aan de
lijn en mevrouw Barillard luisterde met verbazing
toe.
– Neemt u mij niet kwalijk, dokter. U spreekt met
commissaris Maigret van de Centrale Recherche.
Het gaat niet over een van uw patiënten, maar over
een oude geschiedenis, die misschien licht kan wer-
pen op een paar drama's die zich hier zojuist afgespeeld hebben. Het was toch het station van Douai, is
het niet, dat in 1940 op klaarlichte dag gebombardeerd is, toen daar een aantal treinen met vluchtelingen stonden en nog honderden andere vluchtelingen op de perrons stonden te wachten?
Nobel was dat bombardement niet vergeten, want
het was de grote gebeurtenis van zijn leven geweest.
– Ik ben erbij geweest, commissaris. Het was het
verschrikkelijkste wat een mens ooit kan meemaken. Alles was rustig. De hulpdienst was bezig de
Belgische en Franse vluchtelingen, die per trein

naar het zuiden zouden vertrekken, van voedsel te voorzien.

De vrouwen met babies zaten allemaal in de eerste-klas wachtkamer, waar zuigflessen uitgedeeld werden en ook luiers. Een stuk of tien verpleegsters liepen af en aan.

In principe mocht niemand zijn trein uit, maar de aantrekkingskracht van de restauratie was te groot. Kortom, er liepen of zaten overal mensen.

En opeens, op hetzelfde moment dat de sirenes begonnen te loeien, schudde het hele station, het glas van de overkapping kwam naar beneden, de mensen gilden en schreeuwden. terwijl het onmogelijk gewaar te worden was wat er aan de hand was.

Nu, vandaag nog, is er niemand die weet hoeveel golven vliegtuigen er geweest zijn en hoeveel bommen er gevallen zijn.

Buiten was het een even ijzingwekkend schouw-spel als binnen, voor het station, op de kaden: uit-elkaar gereten lichamen, armen, benen, gewonden die met verwilderde ogen voortrenden met hun handen tegen hun borst of hun buik gedrukt.

Ik had het geluk dat ik ongedeerd gebleven was. Ik heb toen geprobeerd de wachtkamers in te richten voor eerste hulp. We hadden geen ziekenauto's genoeg voor alle gewonden en ook niet genoeg bedden in de zieken huizen.

Ik heb daar, onder de meest primitieve omstandig-heden, noodoperaties verricht.

– U herinnert zich natuurlijk niet een lange, magere man, een Vlaming, die zware verwondingen aan zijn gezicht gehad moet hebben en als gevolg daarvan doofstom gebleven is?

– Waarom vraagt u mij naar die man?

– Omdat dat degene is om wie het mij gaat.

– Ik herinner me hem toevallig juist heel goed en ik heb nog vaak aan hem gedacht.

Ik was daar als burgemeester, als voorzitter van de plaatselijke afdeling van het Rode Kruis en van de Evacuatie commissie en ook nog als arts.

In mijn kwaliteit van burgemeester probeerde ik de gezinnen weer bij elkaar te brengen, de zwaarst gewonden en de doden te identificeren, wat niet altijd gemakkelijk was.

Onder ons gezegd, we hebben verscheidene mensen begraven die nooit geïdentificeerd zijn, onder andere een stuk of zes oude mensen die uit een tehuis voor ouden van dagen schenen te komen. We hebben later nog geprobeerd te weten te komen waar ze vandaan kwamen, maar zonder succes.

Te midden van de chaos en de radeloosheid is me één groepje bijgebleven: een hele familie, een man van middelbare leeftijd, twee vrouwen, drie of vier kinderen, die door de bommen letterlijk aan stukken gereten waren.

Bij dat groepje heb ik die man gezien. Zijn hoofd was één bloedende massa en ik heb hem op een tafel laten leggen. Tot mijn grote verwondering was hij niet blind en er waren ook geen vitale delen geraakt.

Ik weet niet hoeveel hechtingen ik wel bij hem aangebracht heb. Op een paar passen afstand stond een klein meisje, dat ongedeerd was, toe te kijken terwijl ik met hem bezig was, volkomen rustig zo te zien. Ik vroeg haar of het soms haar vader of haar grootvader was, maar ik weet niet wat ze me antwoordde, want ze sprak Vlaams.

Een half uur later zag ik, terwijl ik een gewonde aan het opereren was, dat de man opgestaan was en naar buiten liep, met de kleine meid achter zich aan.

Het was een wonderlijk gezicht die man daar rustig te zien lopen te midden van de algemene wanorde. Ik had een enorm verband om zijn hoofd aangelegd, waarmee hij voortwandelde zonder dat hij er iets van scheen te beseffen en hij scheen zich ook niet te bekommeren om het kleine meisje dat achter hem aan liep.

– Haal hem terug! riep ik tegen een van mijn helpers. Hij kan zo niet weg, hij moet nog verder behandeld worden.

En dit is zowat alles wat ik u vertellen kan, commissaris. Toen de grootste drukte voorbij was en het geval me weer te binnen schoot, heb ik naar hem geïnformeerd, maar tevergeefs. Ze hadden hem tussen het puin, rond de ziekenauto's zien rondzwerven. De stroom van alle mogelijke soorten van voertuigen uit het noorden bleef onverminderd doorgaan, gezinnen met meubelen, matrassen, soms met varkens en koeien.

Een van onze padvinders meende een lange man gezien te hebben, een oudere man al, een beetje gebogen, die op een militaire vrachtauto klom en met een klein meisje bij zich, dat door de soldaten in de auto geholpen werd.

Tijdens en na de oorlog hebben we geprobeerd lijsten op te stellen van doden en vermisten, maar van een aantal mensen hebben we geen enkel spoor meer kunnen vinden. Want in vele Hollandse, Belgische en Noordfranse dorpen waren de gemeentehuizen verwoest of geplunderd en de registers van de burgerlijke stand verbrand.

Dacht u dat u die man teruggevonden had?

– Ik ben er zo goed als zeker van.

– Wat is er van hem geworden?

– We hebben hem zojuist gevonden, opgehangen; ik zit op dit moment tegenover dat kleine meisje van toen.

– Houdt u mij op de hoogte?

– Zodra ik meer weet, hoort u van mij. Ik dank u wel. Dag, dokter.

Maigret veegde zijn voorhoofd af, klopte zijn pijp leeg, stopte een nieuwe, en zei op vriendelijke toon tegen de jonge vrouw tegenover hem:

– Zo, en vertelt u mij nu eens uw geschiedenis.

Ze had hem onafgebroken met grote, ongeruste ogen, ineengedoken in haar stoel als een klein meisje, al nagelbijtend, zitten gadeslaan.

In plaats van te antwoorden, vroeg ze wrokkend:

– Waarom behandelt u Fernand als een misdadiger en heeft u hem de boeien aangedaan?

– Daar zullen we het straks over hebben, als u het goedvindt. Voorlopig kunt u uw man nog het beste helpen door mij open en eerlijk te antwoorden.

Maar de jonge vrouw moest eerst nog iets vragen, een vraag die zij zichzelf al lang, misschien wel altijd al, gesteld had:

– Was Jef krankzinnig? Jef Claes?

– Gedroeg hij zich als een krankzinnige?

– Ik weet het niet. Ik kan mijn jeugd niet met die van andere mensen vergelijken, en hem ook niet met andere mannen!

– Begint u maar bij Douai.

– Als ik aan die tijd denk, zie ik allemaal vrachtwagens, vluchtelingenkampen, treinen, veldwachters, die de oude man, want hij leek mij oud, ondervroegen. Maar omdat ze niets uit hem konden krijgen, ondervroegen ze mij. Wie waren wij? Uit welk dorp kwamen we? Maar ik wist het niet.

We gingen verder, steeds verder en ik weet zeker dat ik op een bepaald moment de Middellandse Zee heb gezien. Ik heb me dat later herinnerd en ik heb daar toen uit opgemaakt dat we tot Perpignan gekomen zijn.

– Probeerde Claes Spanje binnen te komen? Om vandaar naar de Verenigde Staten over te steken?

– Hoe zou ik dat geweten hebben? Hij was doof en hij kon niet meer spreken. Als ik hem iets wilde vragen, keek hij strak naar mijn lippen en moest ik mijn vraag wel tien of twaalf keer herhalen.

– Waarom nam hij u met zich mee?

– Ik ging met hém mee. Ik heb daar later over nagedacht. Ik veronderstel dat ik, toen ik zag dat al mijn familie dood was, me aan de man waar ik toevallig naast stond, vastgeklampt heb. Misschien leek hij op mijn grootvader...

– Hoe komt het dat hij uw naam aangenomen heeft, gesteld althans dat uw naam werkelijk Claes is?

– Dat heb ik later begrepen. Hij had altijd blaadjes papier in zijn zak en daar schreef hij soms een paar Vlaamse woorden op, want hij kende nog geen Frans. Ik ook niet. Na weken, of maanden, waren we in Parijs terechtgekomen en hij had een kamer en een keuken gehuurd in een wijk, die ik nooit terug heb kunnen vinden.

Hij was niet arm. Als hij geld nodig had, haalde hij een of twee goudstukken van onder zijn hemd vandaan. Die waren in een brede linnen gordel genaaid. Dat waren zijn spaarpenningen. Wij liepen eindeloos door de straten om een juwelierswinkel of een antiquair uit te kiezen en dan sloop hij daar naar binnen, altijd doodsbang bij de gedachte dat hij opgepakt zou worden.

Waarom, dat begreep ik de dag toen de Joden verplicht werden een gele ster op hun kleren te dragen. Hij schreef zijn echte naam voor me op een papiertje, dat hij verbrandde toen ik de naam gelezen had: Victor Krulak. Hij was een Jood en zijn familie kwam oorspronkelijk uit Letland. Hij was in Antwerpen geboren waar hij, evenals zijn vader en zijn grootvader, diamantslijper was.

– Ging u ook naar school?
– Ja. De kinderen lachten me uit...
– Zorgde Jef voor het eten?
– Ja. Hij kon heerlijk vlees braden. Hij droeg de ster niet. Hij was altijd bang. Hij heeft heel wat last gehad omdat hij de vereiste papieren niet kon tonen, die nodig waren voor een identiteitsbewijs.

Op een keer hebben ze hem in ik weet niet welke inrichting gestopt, want ze hielden hem voor een krankzinnige, maar de volgende dag was hij daar al weer uit ontsnapt.

– Was hij aan u gehecht?

– Ja. Ik geloof, dat hij uit die inrichting wegliep, omdat hij mij niet kwijt wilde raken. Hij is nooit getrouwd geweest. Hij heeft geen kinderen. Ik ben ervan overtuigd dat, zoals hij het zag, God mij op zijn weg gebracht had.

We zijn tweemaal over de grens gezet, maar hij wist toch weer terug te komen in Parijs, waar hij een gemeubileerde kamer met een klein keukentje vond, eerst in de buurt van de Sacré-Coeur, later in de wijk Saint-Antoine.

– Werkte hij niet?

– In die tijd niet, neen.

– Wat deed hij de hele dag?

– Hij zwierf door de straten, sloeg de mensen gade, leerde liplezen, en ook de Franse taal. Op zekere dag, tegen het eind van de oorlog, kwam hij met een vals persoonsbewijs thuis, waarvoor hij, vier jaar lang, zoveel moeite gedaan had. Hij heette nu officieel Joseph Claes en ik was zijn kleindochter.

We zijn toen wat ruimer gaan wonen, in de buurt van het stadhuis, en hij kreeg mensen bij zich die hem werk gaven. Ik zou ze nu niet meer herkennen.

Ik ging naar school. Ik werd een jong meisje en toen ben ik als verkoopster in een juwelierszaak op de Boulevard Beaumarchais gekomen.

– Had de oude Jef die betrekking voor u gevonden?

– Ja. Hij werkte op bestelling voor verschillende juweliers, reparaties, opwerken van oude sieraden, enzovoorts.

– En heeft u zo Barillard leren kennen?

– Ja, een jaar later. Als vertegenwoordiger hoefde hij eigenlijk maar eens in de drie maanden bij ons te komen, maar hij kwam veel vaker en eindelijk wachtte hij me 's avonds op wanneer de zaak gesloten werd. Hij was knap, heel vrolijk, altijd even opgewekt. Hij hield van het leven. Samen met hem heb ik mijn eerste aperitief gedronken, in *Les Quatre Sergents de La Rochelle*.

– Wist hij dat u de kleindochter van Jef was?

– Dat heb ik hem verteld. Ik heb hem ook verteld wat ons in Douai overkomen was. Omdat hij met me wilde trouwen vroeg hij natuurlijk om hem aan Jef voor te stellen. We zijn getrouwd en we zijn in een klein landhuisje in Fontenay-aux-Roses gaan wonen en we hebben Jef meegenomen.

– Is Palmari daar wel eens bij u geweest?

– Onze buurman? Dat zou ik u niet kunnen zeggen, want zolang we hier wonen, heb ik hem nooit gezien. Fernand bracht wel eens vrienden mee, aardige, vrolijke jongens, die graag lachten en graag dronken.

– En de oude man?

– Die bracht het grootste deel van zijn tijd door in een schuurtje achter in de tuin, dat Fernand als werkplaats voor hem had ingericht.

– Heeft u nooit iets vermoed?

– Wat had ik moeten vermoeden?

– Vertelt u me eens, mevrouw Barillard, stond uw man 's nachts wel eens op?

– Neen, praktisch nooit.

– Ging hij 's avonds vaak de deur uit?

– Waarom?

– Drinkt u nog wel eens iets voor u naar bed gaat?

– Ja, kruidenthee. Kamille, meestal.

– Bent u in de afgelopen nacht nog wakker geweest?

– Neen.

– Mag ik eens even in de badkamer kijken?

De badkamer was niet groot, maar vrolijk en heel mooi ingericht, met gele tegels. Naast de wastafel hing tegen de muur een medicijnkastje. Maigret deed het deurtje open, bekeek een paar flesjes, hield er een in zijn hand.

– Gebruikt ú deze tabletten?

– Ik weet niet eens meer wat het is. Dat staat er al zo lang. Ja, nu herinner ik het me weer! Fernand heeft een tijdlang aan slapeloosheid geleden en toen heeft een vriend hem die tabletten aangeraden.

Maar het etiket zag er heel nieuw uit.

– Waarom vraagt u dat eigenlijk, commissaris?

– Dat zal ik u zeggen, mevrouw. Gisteravond heeft u, zoals zo vele avonden, zonder het te weten, met uw kamillethee een dosis van dit slaapmiddel ingenomen, waardoor u heel vast geslapen heeft. Toen is uw man Jef van zijn zolderkamer gaan halen en is met hem naar de kelder gegaan.

– Naar de kelder?

– Ja. Die is als werkplaats ingericht. Hij heeft de oude man met een loden buis of een ander zwaar voorwerp op het hoofd geslagen en heeft hem toen aan de zoldering opgehangen.

Ze slaakte een gil, maar viel niet in zwijm. Integendeel, ze sprong overeind, rende naar de zitkamer, schreeuwde tegen haar man:
– Het is niet waar, hè, Fernand? Jij hebt de oude Jef niets gedaan!
Ze sprak, merkwaardigerwijze, opeens weer met een sterk Vlaams accent.

Maigret voorkwam een uitbarsting van opgekropte emoties en nam Barillard mee naar diens kamer, terwijl hij Janvier een wenk gaf op de jonge vrouw te passen. De vorige avond hadden de beide mannen in dezelfde kamer gezeten, maar de plaatsen waren nu verwisseld. Nu troonde de commissaris in de bureaustoel van de vertegenwoordiger, terwijl deze tegenover hem zat, maar van zijn brutale, arrogante houding was niets meer over.
– Dat is een laffe streek! gromde hij.
– Wat is laf, mijnheer Barillard?
– Om tegen vrouwen te beginnen. Als u dingen te vragen hebt, kunt u dat toch zeker wel aan mij doen?
– Ik hoef u niets te vragen, want ik weet zelf alle antwoorden al. En dat heeft u sedert ons onderhoud van gisteren ook wel vermoed, en daarom heeft u het noodzakelijk gevonden om de man die het zwakke punt in uw organisatie vormde, voorgoed het zwijgen op te leggen.
Na Palmari was de beurt aan Victor Krulak, alias Jef Claes. Een arme man, met gestoorde geestvermogens, die alles zou doen om maar niet gescheiden te worden van het kleine meisje, dat eenmaal, toen

de wereld scheen te vergaan, haar hand in de zijne gelegd had. Je bent een schoelje, Barillard!

– Dank u.

– Er zijn schoeljes en schoeljes. Er zijn er, die ik nog de hand kan drukken, zoals Palmari, bij voorbeeld. Maar jij, jij bent er een van het ergste soort, van het soort dat je niet kunt aankijken zonder de aanvechting ze te slaan of in het gezicht te spuwen.

En de commissaris moest zich inderdaad inhouden.

– Gaat uw gang maar! Ik weet zeker dat mijn advocaat dat allemaal wel heel mooi zal vinden.

– Over een paar minuten gaat u naar het Huis van Bewaring en vanmiddag zullen we waarschijnlijk ons gesprek hervatten, of anders vanavond of morgen.

– In aanwezigheid van mijn advocaat.

– Nu moet ik eerst een gesprek hebben, dat wel enige tijd zal duren, met een heel goede kennis van u. U begrijpt wel wie ik bedoel. Van dat gesprek zal per slot van rekening uw lot grotendeels afhangen.

Want, nu Palmari geliquideerd is, bent u nog maar met zijn tweeën aan de top van de piramide: Aline en u.

Ik weet nu, dat u bij de eerste de beste gelegenheid er samen van door zou gaan, natuurlijk nadat u in het geheim Manuels bezittingen te gelde gemaakt had.

Aline... Fernand... Aline... Fernand... Als ik u de volgende keer tegenover me krijg, dan weet ik wie van de twee, ik zeg niet de schuldige is, want dat bent u allebei, maar de initiatiefnemer van het dubbele drama. Begrepen?

Dan riep hij:

– Janvier! Wil jij mijnheer naar het Huis van Bewaring brengen? Hij mag zich eerst behoorlijk aankleden, maar houd hem goed in het oog. Ben je gewapend?

– Ja, chef.

– Je vindt beneden wel iemand die met je mee kan gaan, want het staat daar waarschijnlijk al vol met politiemensen. Tot straks.

Toen hij de kamer uitging stond mevrouw Barillard daar. Hij bleef even staan.

– Het spijt me verschrikkelijk, mevrouw, dat ik u dit moest aandoen en dat ik u nog meer verdriet bezorgen moet.

– Heeft Fernand hem vermoord?

– Ik vrees van wel.

– Maar waarom?

– Ik vind het heel erg voor u, mevrouw, maar vroeg of laat zult u deze waarheid moeten aanvaarden: omdat uw man een schoelje is. En omdat hij in het appartement hiernaast een serpent gevonden heeft even inslecht als hijzelf.

Hij liet haar in tranen achter en enkele ogenblikken later kwam hij in de kelder, waar een aantal felle schijnwerpers het zwakke lampje vervangen hadden. Iemand die nergens van wist zou gedacht hebben dat men bezig was opnamen voor een film te maken.

Alles praatte door elkaar. De fotografen namen foto's. De dokter met zijn kale schedel verzocht om wat stilte en Moers probeerde tevergeefs bij de commissaris te komen.

Wie wel vlak bij Maigret stond was de kleine rechter

en Maigret trok hem in zijn hoekje, waar wat meer ruimte was.

– Een glas bier, mijnheer Ancelin?

– Dat sla ik niet af, als we er tenminste door kunnen komen.

Ze baanden zich zo goed en zo kwaad het ging een weg. De dood van de oude Jef was, ofschoon bijna niemand van zijn bestaan geweten had, niet zo onopgemerkt gebleven als die van Manuel Palmari en er was een grote oploop voor het huis. Twee agenten konden slechts met moeite de ingang vrij houden. Een aantal journalisten volgde de commissaris.

– Vanmorgen geen nieuws, kinderen. Vanmiddag, na drieën, op de Quai.

Hij nam zijn corpulente metgezel mee naar *Chez l'Auvergnat*, waar al enkele vaste gasten zaten te eten en waar het koel was.

– Twee pils. Grote!

– Gaat u straks weer terug daarheen, mijnheer Maigret? vroeg de rechter, terwijl hij zijn voorhoofd afwiste. Het schijnt dat ze bezig zijn in die kelder het complete en allermodernste materiaal voor het bewerken van diamant te voorschijn te halen. Had u dat verwacht?

– Daar heb ik al twintig jaar naar gezocht.

– Meent u dat werkelijk?

– Jazeker. De rest wist ik allemaal wel. Op uw gezondheid!

Hij dronk met langzame teugen zijn glas leeg, zette het op de toonbank en zei:

– Nog een.

Dan, nog steeds met een verbeten gezicht:

– Ik had het gisteren al moeten begrijpen. Waarom heb ik niet aan die geschiedenis van Douai gedacht? Ik heb mijn mensen alle richtingen uit gestuurd, behalve in de goede, en toen ik eindelijk op het idee kwam, was het te laat.

Hij keek toe terwijl de caféhouder zijn glas vulde en voor hem zette. Hij ademde zwaar, als iemand die zich inhoudt.

– Wat gaat u nu doen?

– Ik heb Barillard naar het Huis van Bewaring gestuurd.

– Heeft u hem verhoord?

– Neen. Daarvoor is het nog te vroeg. Ik moet eerst nog iemand anders ondervragen, nu, direct.

Hij keek door de ruit naar het huis aan de overkant, en in het bijzonder naar een bepaald venster op de vierde etage.

– Aline Bauche?

– Ja.

– Bij haar thuis?

– Ja.

– Zou ze niet meer onder de indruk zijn in uw kamer op de Quai?

– Die is nergens onder de indruk.

– Denkt u dat ze bekennen zal?

Maigret haalde de schouders op, aarzelde of hij nog een derde glas bier zou bestellen, besloot van niet en stak de sympathieke kleine rechter de hand toe, die hem met bewondering en tegelijkertijd een zekere ongerustheid aanzag.

– Tot straks dan. Ik houd u op de hoogte.

– Ik blijf hier misschien wel eten en zodra ze klaar zijn aan de overkant, ga ik terug naar het Paleis.

Hij durfde er niet aan toe te voegen:

– Veel succes!

Maigret stak, voorovergebogen alsof hij een zware last droeg, de straat over, keek nogmaals omhoog naar het venster op de vierde etage. Men maakte plaats om hem door te laten en één fotograaf had de tegenwoordigheid van geest om de commissaris te nemen zoals hij strak voor zich uit starend naar de ingang liep.

7

Toen Maigret luid op de deur bonsde van wat de woning van Manuel Palmari geweest was, hoorde hij
binnen onregelmatige voetstappen en inspecteur
Jarvis liet hem binnen met een gezicht alsof hij op
een fout of een vergrijp betrapt werd. Jarvis was
een klein mager mannetje, dat iets trok met zijn lin-
kerbeen en dat altijd scheen te vrezen dat hij geslagen zou worden. Was hij bang dat de commissaris
hem een standje zou maken, omdat hij zijn colbertje
uitgetrokken en de bovenste knoopjes van zijn ietwat
groezelige overhemd losgemaakt had, zodat men
zijn magere en behaarde borst zag?
Maar Maigret sloeg nauwelijks acht op hem.
– Heeft niemand de telefoon gebruikt?
– Ik, chef, om tegen mijn vrouw te zeggen...

– Heb je gegeten?

– Nog niet.

– Waar is ze?

– In de keuken.

En Maigret liep, nog steeds met die starende blik, regelrecht door. Het was rommelig in huis. Aline zat in de keuken een sigaret te roken met een leeg bord voor zich waarop de onsmakelijke sporen van gebakken eieren te zien waren. Zoals ze daar zat, was er niet veel meer over van het frisse, uiterst verzorgde 'mevrouwtje', dat zich iedere morgen vroeg al mooi maakte om haar boodschappen te gaan doen in de buurt.

Ze had blijkbaar niets aan onder de oude blauwachtige zijden peignoir, die door de warmte aan haar lichaam plakte. Haar zwarte haar was niet gedaan, haar gezicht niet opgemaakt. Ze had geen bad genomen en ze had een sterke lichaamsgeur bij zich.

Het was niet de eerste keer dat Maigret dat verschijnsel waarnam. Hij had het meermalen meegemaakt, dat vrouwen, die er altijd smaakvol en verzorgd uitgezien hadden, zoals ook het geval bij Aline geweest was, zichzelf plotseling, wanneer ze door de dood van hun man of hun minnaar alleen kwamen te staan, zo gingen verwaarlozen.

Hun smaak, hun gedragingen veranderden dan opeens. Ze kleedden zich opzichtiger, hun stem werd vulgair, ze gebruikten woorden en uitdrukkingen die ze lange tijd hun best gedaan hadden te vergeten, alsof hun oude aard zich plotseling niet langer meer liet onderdrukken.

– Kom mee.

Ze kende de commissaris voldoende om te weten dat het dit keer menens was. Ze nam er niettemin de tijd voor om op te staan, drukte haar sigaret uit op het vettige bord, stak het pakje in de zak van haar peignoir en liep naar de ijskast.

– Heeft u dorst? vroeg ze, na een korte aarzeling.

– Neen.

Ze drong niet aan, haalde, voor haarzelf, een fles cognac en een glas uit de kast.

– Waar gaan we naar toe?

– Ik heb je gezegd mee te gaan, met of zonder cognac.

Hij wees naar de deur, duwde haar onzachtzinnig het kamertje van Palmari in, waar de rolstoel nog steeds de tegenwoordigheid van de oude bendeleider opriep.

– Ga zitten, of liggen. Je kunt voor mijn part ook blijven staan... gromde de commissaris, terwijl hij zijn jasje uittrok en een pijp uit zijn zak haalde.

– Wat is er aan de hand?

– Wat er aan de hand is? Dat het uit is. Dat het ogenblik van de afrekening gekomen is. Begrijp je dat?

Ze was op de rand van de gele divan gaan zitten, met haar benen over elkaar geslagen, en de hand waarmee ze de sigaret, die ze losjes tussen de lippen hield, trachtte aan te steken, beefde.

Het kon haar niet schelen, dat een deel van haar bovenbenen bloot was. Maigret ook niet. Of ze gekleed was of naakt, de tijd dat ze een man in verleiding kon brengen, was voorbij.

Het was zoiets als een ineenstorting, waarvan de commissaris getuige was. Hij had haar gekend vol zelfverzekerdheid, laatdunkendheid, terwijl ze op sarcastische toon de spot met hem dreef of hem beledigde in zulke termen, dat Manuel tussenbeide moest komen.

Hij had haar gekend als volkskind met de schoonheid van een jong roofdier in de vrije natuur, ook met iets nog wat haar vroegere beroep verried, hetgeen haar iets pikants gaf.

Hij had haar in tranen gezien, wild snikkend, als een vrouw die verscheurd wordt door smart, of als een komediante die die verscheurdheid zo goed speelde, dat hij erin gevlogen was.

Ze was nu niets meer dan een soort opgejaagd dier, in een hoek gedreven, alleen met zichzelf. Uit haar hele wezen sprak angst en de martelende onzekerheid omtrent het lot dat haar te wachten stond.

Maigret betastte de rolstoel, draaide hem om en om, ging er tenslotte in zitten, in de houding waarin hij Palmari zo vaak had zien zitten.

– Drie jaar heeft hij hier gewoond, als gevangene van deze rolstoel.

Hij sprak zacht, zonder haar aan te zien, alsof hij alleen voor zichzelf sprak, terwijl zijn handen de handels zochten, die hij naar links en naar rechts bewoog.

– Jij was de enige verbinding die hij nog met de rest van de wereld had.

Ze wendde haar hoofd af, geschokt door het gezicht van een man van hetzelfde postuur als Manuel in de

rolstoel. Maigret sprak nog steeds voor zich uit, alsof hij niet wist dat zij daar zat.

– Hij was nog een onderwereldfiguur van de oude
school. En die ouden waren heel wat wantrouwender
dan die jonge knapen van tegenwoordig. Zo was het
laatste wat ze zouden doen vrouwen in hun zaken
mengen, behalve ze de baan op sturen om geld voor
hen te verdienen. Maar dat stadium was Manuel allang voorbij. Luister je?

– Ja, stamelde ze met een stem als van een klein
meisje.

– De waarheid is, dat die oude schavuit verliefd geworden is als een schooljongen, dat hij van een meid
is gaan houden die hij in de Rue Fontaine opgeraapt
had, van onder het uithangbord van een louche hotel.

Hij had een kapitaal bijeengegaard dat hem in staat
gesteld zou hebben zich uit de zaken terug te trekken
en aan de oever van de Marne of ergens in het Zuiden te gaan wonen.

De arme idioot had zich voorgesteld een echte mevrouw van je te maken. Hij heeft je gekleed als een
dame. Hij heeft je geleerd je te gedragen. Rekenen
hoefde hij je niet te leren, want dat was je aange-
boren.

Ach, wat was ze lief voor hem! Papa voor en papa
na. Voel je je goed, papa? Wil ik het raam niet open-
zetten? Heb je geen dorst, papa? Moet Aline je een
kusje geven?

Hij stond met een ruk op, gromde:

– Sloerie!

Ze vertrok geen spier, verroerde zich niet. Ze wist dat hij in staat was, in zijn woede, haar in het gezicht te slaan, misschien wel met de volle vuist.

– Heb jíj hem de huizen op jouw naam laten schrijven? En de bankrekeningen? Dat doet er trouwens ook niet toe. Terwijl hij hier tussen vier muren opgesloten zat, ontmoette jij zijn handlangers, jij gaf hun zijn instructies, jij nam de sieraden in ontvangst.

Heb je nog steeds niets te zeggen?

De sigaret viel uit haar vingers en ze trapte die met de punt van haar muiltje uit op het tapijt.

– Hoelang ben je al de maîtresse van die verwaande kwast van een Fernand? Een jaar, drie jaar, een paar maanden? Dat hotel in de Rue de l'Etoile was wel bijzonder praktisch, hè, voor jullie afspraken?

En op zekere dag begint er een, Fernand of jij, ongeduldig te worden. Al was Manuel invalide, hij was nog steeds gezond en hij had gemakkelijk nog tien of vijftien jaar kunnen leven.

Hij had zo langzamerhand genoeg bij elkaar gespaard om zin te krijgen de rest van zijn leven ergens anders te gaan slijten, ergens waar hij in een tuin rondgereden kon worden, waar hij midden in de vrije natuur zou zijn.

Maar een van jullie kon die gedachte niet verdragen. Wie was dat, Fernand of jij? Nu mag jij spreken, maar vlug.

Met zware stap liep hij van het ene raam naar het andere, af en toe een blik in de straat werpend.

– Ik luister.

– Ik heb niets te zeggen.

– Was jij dat?

– Ik ben overal onschuldig aan.

En, als met moeite:

– Wat heeft u met Fernand gedaan?

– Die zit in het Huis van Bewaring. Daar kan hij nadenken, tot ik hem verhoor.

– Heeft hij niets gezegd?

– Dat doet er niet toe. Ik zal mijn vraag anders stellen. Dat jij Manuel niet zelf vermoord hebt, dat weet ik natuurlijk wel. Dat heeft Fernand opgeknapt, terwijl jij je boodschappen deed. Wat die tweede moord betreft...

– Welke tweede moord?

– Weet je werkelijk niet dat er nog iemand in huis vermoord is?

– Wie dan?

– Kom, denk eens even na, als je tenminste geen komedie zit te spelen. Palmari is uit de weg geruimd. Maar nu wordt Barillard, tegen wie niemand ooit enige verdenking gehad heeft, plotseling door de politie met die moord in verband gebracht.

In plaats van jullie beiden mee naar de Quai des Orfèvres te nemen en jullie daar met elkaar te confronteren, heb ik jullie elk in jullie eigen hol opgesloten, jij hier, Barillard bij zijn vrouw, zonder verbinding met de buitenwereld en zonder dat jullie contact met elkaar konden hebben.

En wat werkt dat uit? Jij hangt in huis rond, van je bed naar een fauteuil, van de fauteuil naar de keuken, waar je wat eet zonder zelfs de moeite te nemen je aan te kleden.

En hij vraagt zich af, wat wij nu eigenlijk precies weten. Hij vraagt zich in de eerste plaats af, wie er zal kunnen getuigen en te veel vertellen. Voor jou is hij niet bang, terecht of ten onrechte. Maar daar boven, op een zolderkamer, zit een medewerker die misschien niet helemaal goed bij het hoofd is, misschien ook slimmer dan hij zich voordoet, maar bij wie in ieder geval het gevaar bestaat dat hij zal doorslaan.

– Is de oude Jef dood? stamelde ze.

– Vermoedde je dat niet, dat hij als eerste op de lijst zou staan?

Ze staarde hem verbijsterd aan, niet meer wetend waar zich aan vast te klampen.

– Wat bedoelt u?

– Hij is vanmorgen gevonden in de kelder van Barillard, opgehangen. In de kelder die, lang geleden al, ingericht is tot atelier, waar Jef Krulak, of juister Victor Krulak, de gestolen edelstenen versneed.

Hij heeft zich niet zelf opgehangen. Hij is van boven gehaald en naar de kelder gelokt, waar hij neergeslagen is en toen aan de zoldering opgehangen.

Hij nam zijn tijd, zonder de jonge vrouw een enkele maal in het gezicht te zien.

– Het gaat op het ogenblik niet meer om roofovervallen, of edelstenen of over vrijpartijtjes in het *Hôtel Bussière*. Er is nu iets anders aan de orde: er zijn twee mensen om het leven gebracht, in beide gevallen met voorbedachten rade en in koelen bloede. Er staat één hoofd minstens op het spel!

Het was haar onmogelijk, langer te blijven zitten,

ze stond op en begon op haar beurt heen en weer te lopen, waarbij ze angstvallig vermeed bij de commissaris in de buurt te komen.

– En wat dacht u nu? hoorde hij haar, bijna onhoorbaar, vragen.

– Dat Fernand een roofdier is, bezeten van gelddorst, die geen donder geeft om een mensenleven. En dat jij zijn maîtresse geworden bent, omdat jij precies zo bent. Dat jij hier maanden, jaren geleefd hebt met de man, die jij papa noemde en die een volledig vertrouwen in je had, terwijl je zat te hunkeren naar het ogenblik dat je in een hotelkamer bij die schoft in bed kon kruipen.

Dat jullie allebei even ongeduldig waren. Wie die revolver, waarmee Manuel doodgeschoten werd, gehanteerd heeft, is van geen belang.

– Dat ben ik niet geweest.

– Ga hier zitten.

Hij wees naar de rolstoel, maar ze deinsde achteruit, met wijd opengesperde ogen.

– Hier, zeg ik!

En hij greep haar bij haar arm om haar te dwingen te gaan zitten waar hij haar hebben wilde.

– Zit stil. Ik zal je precies op de plaats zetten waar Manuel het grootste deel van de dag zat. Hier! Zo ja, zodat hij met de ene hand de radio kon aanzetten en met de andere tijdschriften kon grijpen. Zo zat hij toch altijd, nietwaar?

– Ja.

– En waar lag de revolver, die hij altijd binnen zijn bereik had?

179

– Dat weet ik niet.
– Je liegt, want je hebt hem Palmari iedere morgen daar zien neerleggen, nadat hij hem 's avonds mee naar zijn slaapkamer genomen had. Is dat zo of niet?
– Misschien wel.
– Niet misschien, wat donder! Het is de waarheid! Je vergeet dat ik twintig, dertig keer hier met hem ben komen praten.
Ze zat als verstijfd, zonder kleur op haar gezicht, in de stoel waarin Manuel gestorven was.
– Zo, en luister nu goed! Jij bent je boodschappen gaan doen, keurig aangekleed en opgemaakt, na een kus op papa zijn voorhoofd, en nog een laatste glimlach bij de deur.
Laten we nu eens veronderstellen dat de revolver op dat moment nog op zijn plaats achter de radio lag. Kun je je dan indenken dat Fernand om de stoel heen liep en zijn hand achter de radio stak om de revolver te grijpen en de eerste kogel in Manuels nek af te schieten?
Neen, meisje, natuurlijk niet. Zo onnozel was Manuel niet. Bij de eerste de beste ongewone beweging zou hij al op zijn hoede geweest zijn.
De waarheid is dat de revolver, toen je papa die kus gegeven en naar hem geglimlacht had, toen je koket en met kittige pasjes, als het charmante jonge mevrouwtje, de deur uit ging, in jouw handtas zat.
Het was allemaal heel precies getimed. Je hoefde, op het portaal, de revolver alleen maar in de hand van Fernand te laten glijden, die, als bij toeval, juist naar buiten kwam.

Terwijl jij in de lift stapte en je boodschappen ging doen, mooi rood vlees, groente die geurig en vers van het land kwam, bleef hij thuis wachten tot het tijdstip dat jullie afgesproken hadden.

Hij hoefde niet meer om de rolstoel heen te lopen en zijn arm uit te strekken, tussen Manuel en de radio... Nadat ze een paar woorden gewisseld hadden, een snelle beweging van Fernand. Ik weet met hoeveel zorg Manuel vuurwapens behandelde. De revolver was goed geolied en ik durf wel met zekerheid te zeggen, dat er in jouw tas sporen van die olie gevonden zullen worden.

— Het is niet waar! schreeuwde ze, terwijl ze zich op Maigret wierp en met haar vuisten op zijn schouders en in zijn gezicht beukte. Ik heb hem niet vermoord! Fernand, die heeft alles gedaan! Hij heeft het allemaal bedacht!

De commissaris gaf zich niet de moeite de slagen af te weren, riep alleen maar:

— Jarvis! Wil jij haar eens even kalmeren?

— Moet ik haar de boeien aan doen?

— Totdat ze weer rustig is, ja. Wacht, laten we haar op die divan leggen. Ik zal je wat te eten laten brengen en ik zal zelf ook zien dat ik wat krijg. En straks zal ze zich aan moeten kleden en anders zullen wij dat doen, of ze wil of niet.

8

– Eerst maar een glas bier...

In het kleine restaurantje hingen nog de etensgeuren van het middaguur, maar de papieren tafellakens waren van de tafeltjes verdwenen en er was maar één bezoeker, die in een hoekje de krant zat te lezen.

– Zoudt u uw kelner twee of drie sandwiches naar het huis aan de overkant kunnen laten brengen, vierde etage, het appartement links? Met een karaf rode wijn.

– En u? Heeft u gegeten, vanmiddag? Bent u klaar daar?

– Zo goed als, ja.

– Wilt u ook sandwiches? Met ham uit Cantal?

Maigret voelde zich klam onder zijn kleren. Zijn zware lichaam was leeg en zijn ledematen waren slap, zonder fut, ongeveer zoals bij iemand die dagen achtereen hoge koorts gehad heeft en dan plotseling koortsvrij is.

Urenlang was hij ingespannen bezig geweest, zonder iets te zien van de ongeving die hem vertrouwd geworden was en als men hem gevraagd had welke dag het was, zou hij het niet geweten hebben. Hij was verwonderd toen hij zag dat de klok half drie aanwees.

Wat had hij vergeten? Hij was zich vaag bewust dat hij een afspraak met iemand had gehad, maar met wie? O, ja! Met Gelot jr., op de Avenue des Gobelins, die een lijst voor hem zou maken van de juweliers die Fernand Barillard bezocht had.

Maar dat was allemaal al overbodig geworden. Die lijst zou later dienst doen, en de commissaris stelde zich de kleine rechter voor in de komende weken, hoe hij getuige na getuige in zijn rommelige kamer liet komen, elk hem gegevens verschaffend voor een dossier dat al dikker en dikker werd.

De wereld om Maigret heen begon weer te leven. Hij hoorde de geluiden van de straat weer, zag het zonlicht op de straat en de huizen weer en hij at langzaam en met smaak zijn sandwich.

– Is die wijn goed?

– Sommigen vinden hem een beetje wrang. Dat komt omdat hij onversneden is. Ik krijg hem regelrecht van mijn zwager, die er maar een stuk of twintig vaten per jaar van maakt.

Hij dronk dezelfde wijn die naar Jarvis gebracht was en toen hij uit *Chez l'Auvergnat* kwam, was hij die houding en dat gezicht van een woedende stier kwijt.

– Wanneer zal mijn huis nu eindelijk weer eens rustig worden? klaagde de conciërge toen hij voorbij de loge kwam.

– Heel gauw, heel gauw, mevrouw.

– En de huur van de mensen, moet ik die aan de jonge dame blijven afdragen?

– Dat betwijfel ik. Daar zal de rechter-commissaris over beslissen.

De lift bracht hem naar de vierde etage. Hij belde eerst aan de deur rechts aan, waar mevrouw Barillard hem, met behuilde ogen en nog steeds in haar gebloemde jurk van 's morgens, opendeed.

– Ik kom je even goeden dag zeggen, Mina. Neem me niet kwalijk dat ik je zo noem, maar ik moet voortdurend denken aan het kleine meisje, in de hel van Douai, dat haar handje legde in de grote hand van een man met een gezicht vol bloed, die recht voor zich uit liep zonder te weten waar hij heen ging. Jij wist ook niet waar hij je heen bracht.

– Is het waar, commissaris, dat mijn man een...

Ze durfde het woord niet uit te spreken.

Hij knikte.

– Je bent nog jong, Mina. Flink zijn!

Haar lip trilde en vechtend tegen haar snikken bracht ze, nauwelijks hoorbaar, uit:

– Hoe is het mogelijk, dat ik nooit iets gemerkt heb?

Dan, plotseling, wierp ze zich tegen Maigrets borst en hij liet haar geduldig uithuilen. Eenmaal zou ze zeker een nieuwe steun vinden, een andere hand waar ze zich aan vast kon klemmen.

– Ik beloof je, dat ik je nog eens kom opzoeken. Pas goed op jezelf. Het leven gaat verder...

In het andere appartement vond hij Aline op de rand van de divan zittend.

– We gaan, kondigde hij aan. Wil je je aankleden of moeten we je zo meenemen?

Ze keek hem aan met de ogen van iemand die veel nagedacht heeft en die een besluit genomen heeft.

– Krijg ik hem te zien?

– Ja.

– Vandaag?

– Ja.

– Mag ik dan met hem praten?

– Ja.

– Zoveel ik wil?

– Zoveel als je wilt.

– Mag ik een douche nemen?

– Ja, op voorwaarde dat de deur van de badkamer open blijft.

Ze haalde de schouders op. Het liet haar koud of men naar haar keek of niet. Ze had waarschijnlijk nog nooit zo veel zorg aan haar toilet besteed als op deze middag. Ze was er bijna een uur mee bezig.

Ze nam zelfs de moeite haar haar te wassen en te drogen met een elektrisch apparaat en ze aarzelde lang wat ze zou aantrekken. Ze koos tenslotte een eenvoudig, nauwsluitend mantelpakje van zwart satijn.

En al die tijd hield ze die harde blik en dat vastbesloten gezicht.

– Jarvis! Ga eens kijken of er een wagen van ons staat beneden.

– Ja, chef.

Een ogenblik waren Maigret en de jonge vrouw alleen in de kamer. Ze trok haar handschoenen aan. Het zonlicht stroomde door de beide ramen aan de straatkant, die wijdopen stonden.

– U had een zwak voor Manuel, zegt u het maar eerlijk, zei ze.

– In zekere zin, ja.

Ze voegde er, na een aarzeling, aan toe, zonder hem aan te zien:

– Voor mij ook, is het niet?

En hij herhaalde:

– In zekere zin...

Dan deed hij de deur open, deed die achter hem op slot en stak de sleutel in zijn zak. Ze gingen met de lift naar beneden. Een inspecteur zat achter het stuur van een zwarte wagen te wachten. Jarvis stond op het trottoir, niet wetend wat hij doen moest.

– Ga jij naar huis en ga maar eens lekker de klok rond slapen.

– Als u denkt dat mijn vrouw en mijn kinderen me zo lang met rust zullen laten! In ieder geval bedankt, chef.

Het was Vacher, die achter het stuur zat, en Maigret fluisterde hem een paar woorden in het oor. Dan ging hij naast Aline op de achterbank zitten. Toen ze een honderd meter gereden hadden draaide de jonge vrouw, die naar buiten zat te kijken, zich naar hem toe.

– Waar gaan we heen?

In plaats van de kortste weg naar de Quai des

186

Orfèvres te nemen, gingen ze namelijk via de Avenue de la Grande-Armée naar de Place de l'Etoile om over de Champs-Elysées te kunnen rijden.

Ze keek naar links en naar rechts, nam alles diep in zich op, want ze wist praktisch zeker dat ze dit schouwspel nooit meer zien zou. En als ze het eenmaal zou weerzien, zou ze een heel oude vrouw zijn.

– Heeft u dat expres gedaan?

Maigret zuchtte zonder te antwoorden. Twintig minuten later liep ze achter hem aan naar zijn kamer, waarvan de commissaris met zichtbaar genoegen weer bezit nam.

Hij legde werktuiglijk een rijtje pijpen naast elkaar op zijn bureau, ging voor het raam staan, opende tenslotte de deur van de inspecteurskamer.

– Janvier!

– Ja, chef.

– Wil jij naar het Huis van Bewaring gaan en Barillard hier brengen? Ga zitten, Aline.

Hij behandelde haar nu, alsof er niets gebeurd was. Het leek alsof het geval van nu af aan buiten hem om ging, of de hele zaak slechts een tussenspel in zijn bestaan geweest was.

– Hallo! Wil je me even verbinden met rechter-commissaris Ancelin... Met mr. Ancelin? Met Maigret. Ik ben op mijn kamer, ja. Ik kom net binnen met een jonge dame die u wel kent. Neen, maar dat zal niet lang meer duren. Ik dacht dat u misschien graag bij de confrontatie wilde zijn. Ja. Direct. Ik verwacht hem ieder ogenblik.

Hij aarzelde of hij zijn colbertje zou uittrekken,

deed het niet, omdat de magistraat op komst was.

– Zenuwachtig?

– Wat verwacht u eigenlijk?

– Dat we een gevecht zullen zien van twee roofdieren die elkaar naar de keel vliegen.

De ogen van de vrouw fonkelden.

– Als je gewapend was, zou ik geen cent meer geven voor zijn leven.

De kleine rechter kwam het eerst. Hij stapte kwiek en opgewekt naar binnen, keek nieuwsgierig naar de jonge vrouw in het zwart die juist was gaan zitten.

– Gaat u op mijn plaats zitten, mijnheer Ancelin.

– Ik zou niet graag...

– Neen, neen, alstublieft. Mijn rol is praktisch afgelopen. Alles wat ik nog te doen heb, is enkele dingen controleren, getuigen verhoren en de rapporten opstellen en u toesturen. Een week schrijfwerk...

Men hoorde voetstappen in de gang, dan een klopje op de deur en Janvier duwde Fernand, met de boeien om de polsen, de kamer in.

– En deze twee zijn nu verder voor u...

– Moet ik hem de boeien afdoen, chef?

– Dat lijkt me niet voorzichtig. En blijf jij hier. Ik zal even kijken of er nog een paar potige kerels hiernaast zijn.

Aline was met een ruk overeind gesprongen en het leek of ze de geur opsnoof van de man die lange tijd haar minnaar was geweest.

Of niet haar minnaar, eerder het mannetjesdier, zoals zij zijn wijfjesdier geweest was.

Twee dieren, die elkaar in dit rustige vertrek stonden aan te kijken, zoals dieren elkaar in de arena of de jungle aankijken.

Bij beiden trilde de bovenlip, de neusvleugels knepen zich samen. Fernand begon, sissend:

— Wat heb jij...

Ze was vlak voor hem gaan staan, met haar borst vooruit, alle spieren gespannen, en terwijl ze met een gezicht vol haat haar hoofd achterover wierp, spuwde ze hem in het gezicht.

Hij deed, zonder zijn gezicht af te vegen, ook een stap naar voren, met zijn handen dreigend opgeheven, terwijl de kleine rechter slecht op zijn gemak in Maigrets stoel heen en weer schoof.

— Nee, jij, jij, vuile slet...

— Schoelje!... Schoft!... Moordenaar!...

Ze slaagde erin haar nagels in zijn gezicht te slaan, maar hij wist, in weerwil van de boeien, haar arm beet te grijpen en die om te draaien, terwijl het gezicht waarmee hij over haar heen gebogen stond, vertrokken was van haat.

Maigret, die in de deuropening tussen zijn kamer en die van de inspecteurs stond, gaf een wenk en twee mannen schoten toe om de twee, die over de grond rolden, te scheiden.

Er volgde een korte worsteling, in een verwarde kluwen op de grond, dan werd Barillard, met bebloed gezicht, overeind getrokken terwijl Aline, nu ook met de boeien om de polsen, naar een stoel geduwd werd.

— Ik geloof dat het voldoende zal zijn, mijnheer Ancelin, ze apart te verhoren. Het zal niet het moeilijkste zijn om ze aan het spreken te krijgen, maar om ze te laten zwijgen.

Mr. Ancelin stond op, trok de commissaris mee naar het raam en fluisterde hem, nog geschokt door wat hij zojuist aanschouwd had, in het oor:

– Ik heb nog nooit zo'n uitbarsting van haat, zo'n explosie van dierlijkheid meegemaakt!

Maigret zei, over zijn schouder, tegen Janvier:

– Je kunt ze opsluiten!

En hij voegde er, ironisch, aan toe:

– Elk apart, natuurlijk.

Hij zag hen niet vertrekken, want hij stond met zijn gezicht naar het rustige oppervlak van de Seine. Hij zocht naar een vertrouwde gedaante langs de kant, naar een hengelaar. Hij noemde die, al jaren lang, 'zijn' hengelaar, ofschoon het natuurlijk niet altijd dezelfde was. Het enige wat van belang was, was dat er altijd een hengelaar in de buurt van de Pont Saint-Michel was.

Een sleepboot met vier schepen achter zich aan voer stroomopwaarts en liet zijn pijp zakken om onder de stenen brug door te kunnen varen.

– Vertelt u mij eens, mijnheer Maigret, wie van de twee is, naar uw mening...

De commissaris nam de tijd om zijn pijp aan te steken alvorens, nog steeds naar buiten kijkend, te antwoorden:

– Dat is úw vak, nietwaar? U bent rechter. Ik kan ze alleen maar bij u afleveren zoals ze zijn.

– Het was geen mooi gezicht.

– Neen, het was geen mooi gezicht. In Douai ook niet.